豪快BBQ バーベキューレシピ

たけだバーベキュー 監修

池田書店

はじめに

どうもこんにちは！ バーベキュー芸人の、たけだバーベキューといいます。-バーベ！※

「ん？ 誰だ誰だ？」と、少し胡散臭くお思いになった方もいるでしょうが、じつは僕、日本バーベキュー協会が発行するバーベキュー上級インストラクターという、日本で数十人しか持っていない資格を持っているのです。バーベキューに関しては正しい知識と焼き方を心得ているので、その辺は安心していただいて大丈夫です。

僕が本格的にバーベキューに目覚めたのは、「バーベキュー検定」との出会いからです。ある日、雑誌を読んでいたときに、ふと目にとまったのが日本バーベキュー協会主催の「バーベキュー検定」の文字でした。気になって早速その講習会に参加してみたところ、Weberという見たこともないフタ付きグリル、スプリットツーゾーンファイアーという聞いたこともない炭の置き方、そして味わったことのないくらいおいしく焼けた肉等々、「バーベキューってこんなにも奥が深いんだ」とカルチャーショックを受けました。それからというもの、そこで学んだ技術を自分なりに取り入れながら日々バーベキューに明け暮れて、今やバーベキュー芸人を名乗らせてもらっているわけでございます。

バーベキューというものは、単にレジャーというだけではなく、一種のコミュニケーションツールだと僕は思っています。「バーベキューやろうよ」というと自然に人は集まるし、みんなでグリルの周りに

※ 挨拶みたいなものです

集まって肉を焼けば、おのずと会話も弾みます。また、肉を焼いてくれる人、洗い物をする人、必死に肉ばかり食べる人……人となりも見えてくるので、新歓や婚活で利用されるのも納得です。

さて、皆さん、そんな魅力たっぷりのバーベキューで、目立ちたいとは思いませんか？　そのために、もてなし側の僕が大事にしているのが「やられた感」つまり「驚き」です。友達の誕生日にサプライズでケーキを出してあげたりしますよね？　あの感覚と同じです。しかも場面はバーベキュー。特殊な状況なので、サプライズのハードルがとても低いのです。例えば火が起こるまでにちょっとした一品を出したり、肉をドカンと“かたまり”で焼いたり、〆のデザートとしてフルーツを焼いたり、それだけでもう周りは「やられたー！」となって普段のバーベキューより盛り上がること間違いなし！ そして何より大切なのは豪快さです！

この本はそうした「驚き」を手軽に演出できる料理から、ダッチオーブンを使った本格的で豪快な料理まで数多く掲載しています。お金もそれほどかからず、特別なアイテムがなくても作れるように、レシピは簡単なものばかり。バーベキューのいいところは、誰でも「もてなし上手」のシェフになれてしまうところです。しかもバーベキューは野外での料理なので、多少失敗しても自然という雰囲気がフォローしてくれます。この本を片手に、どんどんチャレンジしてくださいね！

バーベ！

たけだバーベキュー

バーベキューは
冒険だ。

肉は“かたまり”で豪快に。
魚は一匹丸ごと
野菜もドンと網の上に。

バーベキューにNGなし。
野外料理ならではの
非日常で盛り上がる。

バーベキューは
肉で決まる。

バーベキュー料理の主役は
誰が何と言おうと肉。

肉汁と歯ごたえが
楽しめるステーキ肉、
特製ソースに漬け込んだ
スペアリブ、
こんがりと焼いた丸鶏など。

とっておきの一品を
用意しておきたい。

バーベキューは
ライブだ。

山、川、海というフィールド、
夏の暑い日差し、夜に囲むたき火、
ジュワ～という肉の焼ける音、
青空のもとで飲むビール、
そして、家族や仲間と語らう時間。

今、そこで起こるすべてを
楽しむのがバーベキューだ。

豪快バーベキューレシピ

Contents

作りたい料理が
すぐに見つかる

目的別

料理インデックス

本書に掲載している料理を役割別に一挙大公開。
各分野から1品以上選べば、コース料理のように楽しめる。

◎スピードメニュー

手早く作れる料理。
サクッとオードブルのようにふるまおう。

◎レギュラーメニュー

ほどよい量の激うまレシピ。
小腹がすいたときのおつまみやお酒のおともに

◎メインメニュー

豪快に焼き上げる、その日のバーベキューの主役。
ボリュームも満点

ペッパーステーキ ☞P.28

スペアリブ ☞P.38

牛肉のビール煮込み ☞P.62

ベイビーバックリブ ☞P.30

ローストチキン ☞P.46

タイの塩釜焼き ☞P.64

ビア缶チキン ☞P.32

牛タンシチュー ☞P.56

キャベツ大爆発 ☞P.82

シュラスコ&パイナップル焼き ☞P.36

男のポトフ ☞P.58

◎〆の一品

ご飯や麺類など、その日を〆る料理。
幸せな満腹感を約束するうまさ

丸鶏の中華粥 ☞P.98

夏野菜のスープパスタ ☞P.110

焼きおにぎり ☞P.100

ペンネ・アラビアータ ☞P.111

ミックスパエリア ☞P.104

俺流焼きそば ☞P.112

ピザ・マルゲリータ ☞P.106

◎スイーツ

意外と豊富なバーベキューのスイーツ。
女性や子どもにも大人気

カスタード・ライスプリン ☞P.114

まるごとパンプキン ☞P.119

フルーツグラタン ☞P.116

フルーツ串パンケーキ ☞P.122

焼きリンゴ ☞P.117

ベリーベリーマシュマロ ☞P.124

とろけるチョコケーキ ☞P.118

本書の見方

イメージ写真
実際に調理したときの写真です（必ずしも【材料】で表記してある分量と一致するわけではありません）

材料
基本的には4人前に必要な分量を表しています。ただし、「まるごとパンプキン（P.119）」ではかぼちゃ1個分としてあるように、レシピによっては作りやすい分量を記載している場合もあります。

必要な器具
食材に火を通すために必要な器具をマークで表しています。

- … 網
- … 鉄板
- … フタ付きグリル（P.34参照）
- … ダッチオーブン（P.54参照）
- … フライパン
- … 鍋

調理時間
準備から完成までにかかる時間です。漬け込みに要する時間は含まれていません。あくまでも目安であり、火力などにより異なる場合があります。

作り方
自宅等であらかじめ仕込んでおくとよい工程があるものは、それを【準備】として記載しています。また、より簡単に作るコツ、おいしくなるヒントを色文字で示しています。

---

10 // Meat //   10 min

炭焼きならではの香ばしさ！
宮崎風の鶏もも炭火焼き

普通の鶏もも肉が、ちょっとした工夫で宮崎名物「地鶏炭火焼」に。
ポイントは炭に油をさしながら、鶏を炎で真っ黒にして焼くこと。
長めのトングを使って、炎の中をダイナミックに転がそう。

● 材料
鶏もも肉　2枚
水菜　1/2袋
塩・コショウ　適量
サラダ油　適量

● 作り方
【準備】
① 水菜は食べやすい長さに切っておく

【調理】
② 鶏肉に塩・コショウを振り、トングを使ってサラダ油を薄く塗った網の上であぶるように焼く
＊鶏肉は分厚い部分は、火の通りをよくするためにあらかじめ包丁で開いて薄くしておくとよい

③ 炎を出すために、ときどき横から油をさす
＊ときどき炎を出して豪快に焼き上げる。油は調味料入れのディスペンサーなどに入れておく

④ 器に水菜、切りわけた鶏肉を盛り、お好みでマスタードまたはゆずコショウをつけて食べる

知っていると、もっと楽しくなる

1 BBQ（バーベ）の基本

Let's try

いつものバーベキューが
もっと盛り上がる知識やコツを解説。
便利なグッズや簡単火起こし術も
紹介しているので初心者も安心。

BBQ 基本

おいしく、楽しく、盛り上がるために

バーベキューの心得

バーベキューはエンターテインメント。
いつものバーベキューも、はじめてのバーベキューも、
みんなが盛り上がる５つのポイント。

1. 下ごしらえを大切に

バーベキューはサクサク手際よく焼いていくべし。「野菜は切って小わけにしておく」など、あらかじめ自宅でできることはしておこう。それが現地でのゴミを増やさないことにもつながるのだ。

2. 火起こしでつまづかない

なかなか火が起こせずに、みんなが待ちぼうけ…。なんてことにならないように、すばやく的確な火起こしを。自信がなければ「火の起こし方」(22ページ)をチェック！

3. バーベキュー奉行は無用

バーベキューの世界には、料理の面ではNGはない。焼きすぎだってご愛嬌。その場の雰囲気を大切にするべし。女性や子どもがいる場合は、みんなで参加できるようなレシピを選ぼう。

4. 一品でも野外ならではの料理を

せっかく野外でつくるのだから、「バーベキューならでは」という豪快な料理に挑戦するべし。大きな食材をダイナミックに料理すると、それだけでも盛り上がる。

5. 後片付けは手際よく

後片付けまでがバーベキュー。後片付けはテキパキ行うべし。ゴミ袋はあらかじめ設置しておいたり、使った食器は随時洗っていくと、後片付けがラクになる。

BBQ 基本

バーベキューは豪快さが命！

肉は“かたまり”で焼け！

BBQといえば、なんといっても肉。本書ではかたまり（ブロック）の肉を豪快に焼くことをおすすめしたい。ここでは、肉の魅力を伝えるとともに、「でもお金がかかるのでは？」「どこで手に入れるの？」といった、気になる疑問を解決する。

かたまり肉をおすすめするワケ ①

豪快で盛り上がる！

どっしりとした、肉をトングでつかんで、ドカっとグリルに置けば、メンバーは大盛り上がり。バーベキューならではの非日常が味わえるのが最大の魅力だ。ちなみに、写真はベイビーバックリブという豚の（背中に近い）あばら肉で、約700ｇ。

かたまり肉をおすすめするワケ ②

肉の旨みが凝縮されてうまい！

肉を切らずに焼くと、肉汁が流れ出ず、旨みがギュっと凝縮された状態で食べられる。写真はベイビーバックリブが焼き上がったところで、外はこんがり、中はジューシー。700ｇもあれば、5、6人でシェアできる。

Q どこで手に入れるの?

A 精肉店やインターネットショップでブロック肉として買うことができる。
スーパーの精肉コーナーでも、お店によっては
部位とグラムを伝えれば対応してもらえるので、まずは相談を。

<table>
<tr><td rowspan="4">スーパーや
精肉店</td><td colspan="2">確実に入手したければ、前もって注文しておこう。
「〜の部位をブロックで〜g」と注文を。</td></tr>
<tr><td>店の規模を問わず
入手しやすいもの</td><td>牛ヒレ肉、牛ひき肉、鶏むね肉、
鶏もも肉、手羽元、手羽中</td></tr>
<tr><td>大型スーパーで
市販されているもの</td><td>スペアリブ、牛すね肉、丸鶏</td></tr>
<tr><td>注文したほうが
よいもの</td><td>牛タンブロック、牛ヒレ肉ブロック、
ランプ肉ブロック</td></tr>
<tr><td>インターネット</td><td colspan="2">バーベキュー専門の材料を扱うサイトもある。ベイビーバックリブやリブロースのブロックなどは、ネットを利用したほうがスムーズに入手できる
おすすめサイト　バーベキューワンダーランド
http://bbq-wonderland.com/</td></tr>
</table>

Q お金はかからない?

みんなでシェアするからお得!

A みんなでシェアするので一人分の負担は高くない。
焼くときの驚きと、食べたときの感動を考えると、安いくらい。

肉の値段	5人で割ると
リブロース/450g/約2,500円	リブロース/約500円
ランプ肉/1kg/約1,500円	ランプ肉/約300円
スペアリブ/700g/約1,500円	スペアリブ/約300円
丸鶏/1羽(1kg)/約1,000円	丸鶏/約200円

Q おすすめの部位は?

牛

写真のステーキは赤身と脂身のバランスがよいリブロース。上質の赤味、ランプ肉はシュラスコに。やや硬めだが旨みが強いすね肉やタンはシチューや煮込み、やわらかいヒレ肉は串焼きがおすすめ。

豚

スペアリブは旨みが強く、バーベキューに向いている材料のひとつ。ポトフなどに使ってもうまい。ベイビーバックリブはより背中に近いあばら肉。ベイビーは赤ちゃんではなく小さいという意味。

鶏

ビア缶チキンやローストチキンなど、丸鶏の料理は肉の旨みを逃がさずに食べられる。定番のむね肉、もも肉のほか、骨付きの手羽元、手羽中などもおすすめ。手羽中は火が通りやすくバーベキュー向き。

BBQ
基本

目指せ！
バーベキューマスター

本格バーベキュー入門

豪快で本格的なバーベキューは盛り上がるけれど、いろいろとやろうとすると、どれも中途半端に。ちょっとずつ本格的にしていこう。

Step 1

前日に簡単に仕込めるものをつくろう

本格派を目指すなら、前日の仕込みは欠かせない。仕込みといっても簡単で、スペアリブなら漬け込みダレを作っておくだけでもOK。ホイル焼きなら、野菜ときのこを切ってアルミホイルで包んでおけば、準備は完了。準備は手間だが、みんなの驚く顔を想像するだけでモチベーションがアップするはず。

おすすめレシピ

スペアリブ（P.38）、串焼き（P.48）、ホイル焼き（P.68）、バーニャカウダー（P.86）

Step 2

肉を"かたまり"で焼いてみよう

次のステップは肉や魚をブロック、丸ごと一匹などで豪快に料理すること。大きな食材が登場すると、みんなのテンションが一気に上がる。ダイナミックに焼こう。焼き上がりまでに時間がかかるものはグリルが占領されてしまうため、グリルは2つあったほうがよい。

おすすめレシピ

シュラスコ（P.36）、タイの塩釜焼き（P.64）、アクアパッツァ（P.66）、マグロのカマ焼き（P.72）

Step 3
フタ付きグリルを使おう

通常のグリルでかたまりの肉を焼こうとすると、なかなか火が通らないもの。分厚いステーキや丸鶏を焼きたいときは、フタ付きグリル（P.34）を入手してみよう。フタ付きグリルでは蒸し焼きができるので、肉以外にも、ピザなどのオーブンが必要な料理も作れてしまう。

おすすめレシピ

ペッパーステーキ（P.28）、ベイビーバックリブ（P.30）、ビア缶チキン（P.32）

Step 4
フライパンや鍋を持っていこう

バーベキューにフライパンや鍋を持っていくと、料理の幅が格段に広がる。グリルの網の上に乗せれば問題なく使えるので、バーベキューだからといって網や鉄板で焼くことにこだわる必要はない。屋外の開放感は最高のスパイス。普段の食卓に並ぶような料理や、お店で見かける定番料理が、想像を超えたうまさに仕上がる。

おすすめレシピ

アクアパッツァ（P.66）、アサリのワイン蒸し（P.76）、串揚げ（P.90）、ミックスパエリア（P.104）

Step 5
ダッチオーブンを使おう

ここまできたら、あなたはもう立派なバーベキューマスター。思い切って、ダッチオーブン（P.54）も入手してみよう。ダッチオーブンの魅力は、フタの上にも炭をのせられ、圧力鍋のような効果を得られること。焼いてよし、煮てよしの万能調理器具だ。

おすすめレシピ

ローストチキン（P.46）、牛タンシチュー（P.56）、豪快ポトフ（P.58）、焼きリンゴ（P.117）

BBQ 基本

火を操るコツ、教えます

火の起こし方&炭の置き方

バーベキューで欠かせない火の管理。
ここでは、失敗しない火の起こし方と、
料理がグッとうまくなる火加減の基本を紹介する。

火を起こす前に…

- やけどには要注意。手袋(できれば皮手袋)は必ず着用し、子どもは必要以上に近づかないように気をつける。
- 着火剤のおすすめは固形タイプ。ジェル状を使用する場合は継ぎ足さない。
- 引火しやすい衣服(フリースなどの合成繊維など)を避ける。
- 炭の後片付けもしっかりと。火消し壺があれば利用し、なければ水を張った大きなバケツに一つひとつ入れるなどして鎮火すること。使用後の炭は再利用するか、燃えるゴミとして処理する。

火の起こし方 ① グリルで火起こしする

1.

丸めた新聞紙の上に着火剤を置く

新聞紙は小さく丸める。丸めずに着火すると、一瞬で燃えてしまい種火になりにくいうえ、風に飛ばされやすくなる。

2.

炭をのせる

すべての炭に火がつき、風のとおりをよくするために、できるだけ高く積み上げるのがポイント。

3.

ライターで新聞紙に火をつける

火をつけるのは新聞紙。できればノズルの長いライターを用意しておきたい。

4.

うちわであおぐ

火が着火剤から炭に移ったら、うちわであおいで風を通す。炭から炎が上がったらひと安心。

火の起こし方 ②

チムニースターターで火起こしする

チムニースターターとは、空気の流れを利用して効率よく炭に火を付ける器具。これがあると簡単に火起こしできる。

ファイアースタックスターター／ロゴス／オープン価格

1. スターターを安全な場所に設置する

グリルの上などの平らなところに置くのが基本。

2. 新聞紙、割り箸、木炭の順で積み上げる

割り箸の代わりに、着火剤や段ボールの切れ端などを利用してもよい。

3. ライターで新聞紙に火をつける

左ページのグリルの場合と同様に、火をつけるのは新聞紙。ノズルの長いライターを用意しておこう。あとは、自然に炭に着火する。

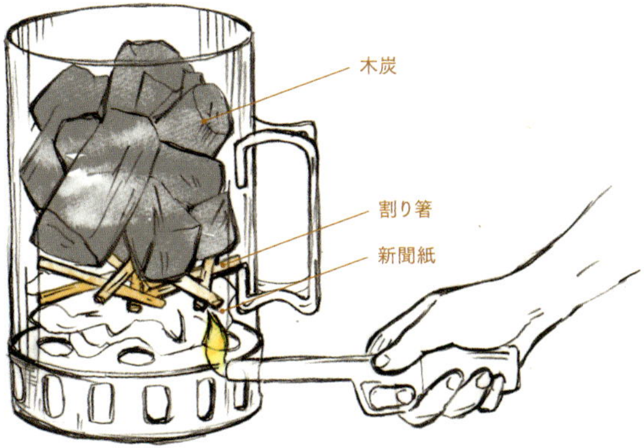

炭の置き方

炭にきちんと火がつくと、やがて白くなってくる。これがベストの状態で「おき火」という。この「おき火」をグリルにまんべんなく並べるのが基本であり、本書ではこの状態で調理することを前提としている。また、炭が燃え尽きかけてきたら、新しい炭を小さめに砕いて上にのせると、新しい炭にも自然に火がつく。

火加減

火加減は炭を重ねる量を変えることによって調整でき、火力を強くしたければ炭を重ねて2層にし、反対に火力を弱くしたければ炭の量を減らす。また、炭の置き方の基本はまんべんなく並べることだが、作る料理によっては炭を置かない「保温ゾーン」を設けると便利。保温ゾーンは文字どおり、焼き上がった肉や野菜などの食材を保温するゾーンで、焦げることを防ぐ。グリルの1/3程度を目安に、料理に応じて広さを調整するとよいだろう。

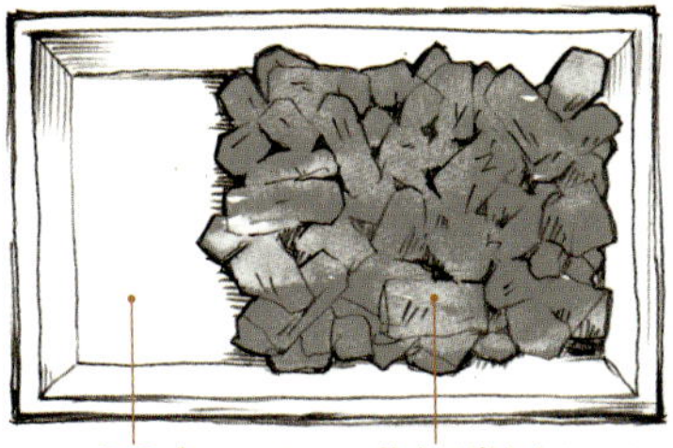

BBQ 基本

持ち物チェックリスト付き

バーベキュー・グッズ紹介

炭やグリルといった定番グッズもじつは種類はかなり豊富。
快適なバーベキュータイムをすごしたいなら、
料理だけはなく、道具にもこだわりたい。

調理に関するグッズ

- □ グリル
- □ 網（鉄板、鍋等）
- □ 包丁（ナイフ）
- □ クーラーボックス
- □ 保冷材
- □ トング
- □ ハケ
- □ まな板

☞肉（魚）用と野菜用を用意すると衛生的にもgood！

- □ ダッチオーブン
- □ 金串

☞リーズナブルな竹串でもOK！

食器類

- □ 皿

☞「汁ものなら深めのお皿」というように料理に応じた大きさ（深さ）のものを

- □ 箸（フォーク、スプーン）
- □ コップ

☞食器類は使い捨てではなく、何度も使える環境に優しいプラスチック製がおすすめ

- □ 洗剤
- □ スポンジ
- □ オイルポットや油の凝固剤

☞串揚げなどで油を使う場合は、持ち帰るのが基本

グリルの種類

四つ足グリル

大きく使って、小さく収納できるのが最大の売り。炭を入れる火床をスライドすれば炭足しもスムーズ。

ステンチューブラルG3 sizeL／6,590円（税込）

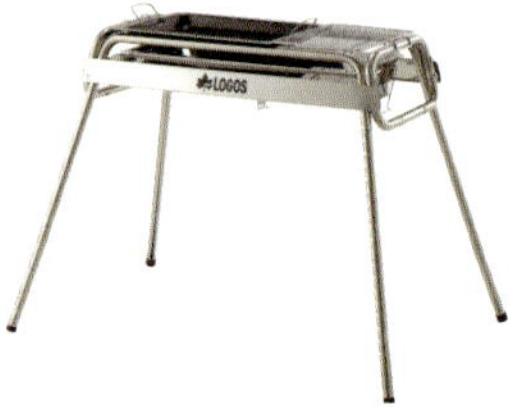

ピラミッドグリル

バーベキューはもちろん、焚き火台にもなるグリル。アウトドアの雰囲気満点で、ダッチオーブンも置ける。

焚火ピラミッドグリルEVO-L／7,499（税込）

卓上グリル

卓上のグリルは、ちょっとした野外料理を楽しむときに便利。コンパクトに折りたたむことが可能。

クイックステン・卓上グリル／オープン価格

フタ付きグリル

分厚いステーキ肉を焼くなど、本格的にバーベキューを楽しむならフタ付きがおすすめ。使い方は34ページ。

バーベキューグリル57cm 22-1/2 one touch silver※／22,890円（税込）

火に関するグッズ

- ☐ 炭
- ☐ 着火剤
  ☞固形タイプが使いやすい！
- ☐ 着火用ライター
- ☐ 炭用トング
- ☐ 新聞紙
- ☐ うちわ
- ☐ 送風機
- ☐ 手袋
  ☞皮製がおすすめ
- ☐ チムニスターター
  ☞火起こしがグッと簡単に！　使い方は23ページ
- ☐ バーナー
- ☐ 火消し壺
- ☐ バケツ
  ☞炭の消火時に水を張って使用。大きめなものを用意しよう

あると便利なグッズ

- ☐ アルミホイル
- ☐ キッチンペーパー
- ☐ プラスチック製の密閉容器
- ☐ ファスナー付き密閉袋
  ☞仕込んだ食材、残りものを入れたりと便利
- ☐ ウエットティッシュ
- ☐ 防寒着
- ☐ 雨具
- ☐ 日焼け止め
- ☐ リップクリーム
- ☐ ランタン
- ☐ テーブル
- ☐ イス
- ☐ テーブルクロス
- ☐ 網用ブラシ
  ☞網の掃除に使用

炭について

一般的なグリルを使う場合、1人または1時間に1kgが基本。市販されているおもなものには、次のようなものがある。

マングローブ炭／リーズナブルで火がつきやすいなどの特徴があるが、燃焼時間が短め

人工炭／木材に何かの加工を施したもの。匂いがあるが、リーズナブルなうえ、形が均一で扱いやすい

黒炭／軽くて煙は少なめで、匂いもあまりない。価格はマングローブ炭や人口炭よりもやや高め

白炭／高価な炭。火がつきにくい(そのため黒炭等と合わせて使うとよい)が、一度着火すれば安定した火力が得られる

着火(鎮火)をスムーズにするグッズ

バーナー

火起こしの奥の手。料理の表面をあぶりたいときにも使える。

LOGOS着火バーナー／オープン価格

送風機

うちわであおぐのが面倒なら電池式の送風機がおすすめ。

BBQガンブロー／オープン価格

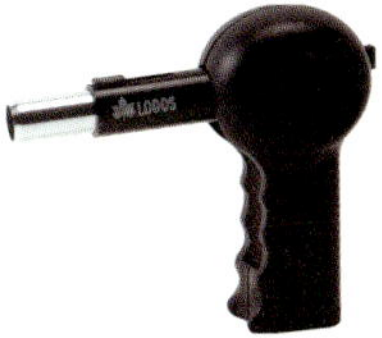

火消し壺

これに入れてフタをしめれば早めに消すことができる。

LOGOSマイティー火消し壷／6,599円(税込)

キャンプの朝と夜に欲しいグッズ

パーコレーター

キャンプの朝といえばコーヒー。パーコレーターで淹れるとうまい。

LOGOSステンレスパーコレーター／3,799(税込)

ランタン

夜のバーベキューを楽しむならランタンを。LEDタイプで火を使わないので子どもがいても安心。

癒しのホワイトランタン／オープン価格

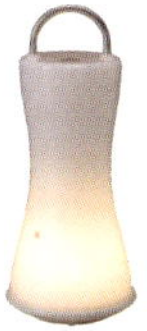

※このページで紹介しているグッズの問い合わせ先／バーベキューグリル57cm 22-1/2 one touch silverは株式会社エイアンドエフ、そのほかはすべてロゴス

BBQ 基本

BBQ芸人のオススメ

たけだバーベキューの七つ道具

バーベキューが7倍盛り上がる！ 見た目と実用性を兼ね備えた監修者おすすめのアイテムを紹介。

シュラカップ

そのまま火にかけられ、スープを注いだり、タレを入れて熱したりと、アウトドアで大活躍するステンレス製容器。マグカップの代わりに使うのもかっこいい。重ねられるので収納性も抜群。

ミートハンマー

分厚い肉を軟らかく食べたい、そんなときにはこれ。叩くと肉が驚くほど柔らかくなる。テント組み立て時のハンマーに、肩叩きに、使い方はあなた次第。

フリスビー

そっと置いておくだけで自然とみんなが遊びはじめる。料理の待ち時間もあっという間に過ぎる（？）バーベキュー界の人気No.1レジャーグッズ。

ファイアスターター

いわゆる火打ち石。擦ると火花が散り、新聞紙などに引火できる。これで男らしく火を起こせば、ガツンと盛り上がる。

取っ手付きのフタ

厚めの肉や魚などにまんべんなく火を通したいときにもってこい。鉄板料理では、水をさしてフタをすれば、高温の蒸し焼きもできる。写真は100円均一ショップで買った鍋立てをボウルに付けた自作品。

バンダナ

バーベキューはファッションも大切。アウトドア感満点のバンダナでスマートに決める。ミートハンマーとともに監修者のトレードマークであり、ハンカチの代わりとしても使える。

ペッパーミル

ペッパーミルでガリガリと振りかける姿がバーベキューらしさを演出する。高い位置からだとなおよし。ただし、風が強いとほとんどどこかへ飛んでいってしまうので、ご注意を。

あふれる肉汁にやみつき

バーベ 2 肉料理 Meat

分厚い肉を豪快に焼き上げるのもよし、
ひと手間加えて本格派料理に挑戦するのもよし。
バーベキューでしか味わうことのできない
肉の旨みを堪能しよう。

01 // Meat // 20 min

これぞ本場のバーベキュー！

ペッパーステーキ

分厚く切った牛肉をグリルで焼いて
タップリの黒コショウで豪快に味付け。
口の中に肉汁が広がる、極上の一品。

表面が黒くなるまで
黒コショウは豪快に！

●材料

牛リブロース※　1枚（450ｇ）
塩　少々
黒コショウ　適量

※ 肉はサーロインや肩ロースなどでもよい

●作り方

①柔らかくするため、リブロースをミートハンマーで叩く（A）

☞ミートハンマーがなければ、代わりに包丁の背で叩く

②両面に塩を振り、その上に黒コショウを肉の表面が黒くなるくらいに豪快に振る（B）

③熱した網に②を置いて強火で焼く。おもりを使うと表面に焼き目をつけられる。裏も同様に焼く

☞おすすめはスリーゾーンファイアー（P.35）で、強火で焼くこと。焼き目にこだわらなければ、おもりはなくてもよい。おもりはアルミホイルで包んだレンガなどの重石でOK

④両面に焼き色をつけたら、中火で中まで火を通す

⑤焼けたら皿に移してアルミホイルで包み、3分ほどねかせる（C）

☞ねかせることで、肉汁が全体に行き渡り、旨味を封じ込められる

A

B

C

02 // Meat // 60 min

骨を持ってかぶりつけ！

ベイビーバックリブ

骨付き肉を豪快に焼き上げる、
バーベキューの醍醐味満点の料理。
焦げないように、じっくり焼き上げるのがポイントで
味の決め手はソース。好みに応じて調整を。

●材料

豚ベイビーバックリブ※1　1本
ヨシダソース※2　適量
塩・コショウ　適量

※1 豚ロースのあばら肉でスペアリブよりも小さい部位（入手方法はP.18）
※2 他のメーカーのソース、もしくは焼き肉のタレなどでもよい。また、それらを混ぜ合わせて、オリジナルのソースを作るのもOK。お好みの味に調整を

●作り方

①ベイビーバックリブの薄皮をはがす（A）
②①に塩・コショウを振り、焼き色がつくまで表面を焼く（B）
☞おすすめはスプリットツーゾーンファイアー（P.35）で、炭がある部分で焼くこと
③表面が焼けたら炭のない部分に移し、ハケでソースをぬりながらフタをしてじっくり焼く（C）
④ときどき裏返してタレをぬり、フタをして焼くこれを数回繰り返す
☞1時間ほどで完成するが、じっくりと弱めの火力で3時間くらいかけて焼くと柔らかく焼き上がる

A

B

C

ベイビーバックリブはド迫力！

03 // Meat // 90 min

丸鶏にビール缶!? これがうまいんです

ビア缶チキン

ビールを缶ごと使ったダイナミックな見た目はインパクト抜群。
蒸発したビールが、丸鶏の中まで火を通し、皮はパリッと、身は柔らかくジューシーに仕上げる。

●材料

丸鶏（中抜き）　1羽
オリーブオイル　適量
レモン汁　適量
缶ビール（350㎖）　1本

<スパイス※>
塩・コショウ　適量
パプリカパウダー　適量
ガーリックパウダー　適量

※ より本格的に楽しみたければ本格シーズニングスパイスに挑戦を。材料は次のとおり。カレーパウダーを振りかけて、味を変えるのもGOOD

パプリカパウダー　大さじ1
ブラウンシュガー　大さじ1
ブラックペッパー　大さじ1
オニオンパウダー　小さじ2
ガーリックパウダー　小さじ2
カイエンペッパー　小さじ1
塩　小さじ1

●作り方

①丸鶏をよく洗って水気を切る。表面にハケでオリーブオイルを塗り、全体にレモン汁を振りかける

②容器にスパイスの材料を入れて混ぜ合わせ、①の丸鶏に振りかける（A）

③まんべんなく火を通すため、丸鶏の手羽を「バンザイ」のポーズにする（B）

④半量ほどのビールが入ったビール缶を丸鶏のおしりに差し込み、専用の器具（ビア缶チキンホルダー）を使って立てる。蒸気が逃げないように、上の穴は首の皮を伸ばして、つまようじでとめる

☞首の皮が少なくてとめられない場合は、ジャガイモやニンジンなどの野菜をカットして、穴に差し込むとよい。また、器具がなくても慎重にグリルに置けば鶏肉は立てられる

⑤④を火力の弱いところで、フタをして1時間ほど焼く（C）

☞おすすめはスプリットツーゾーンファイアー（P.35）で、炭のない部分で焼くこと

⑤全体がきつね色になったら完成

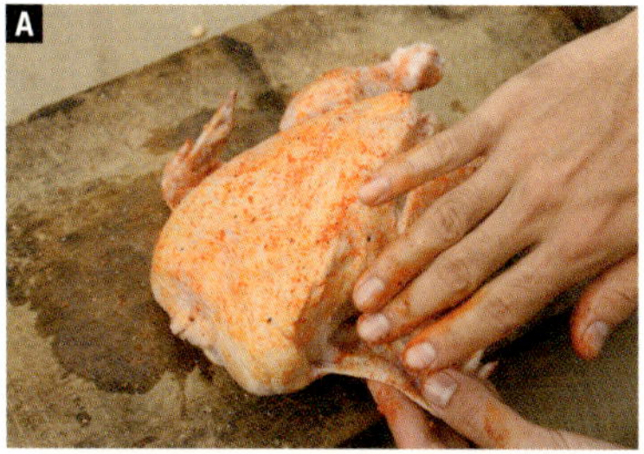
A

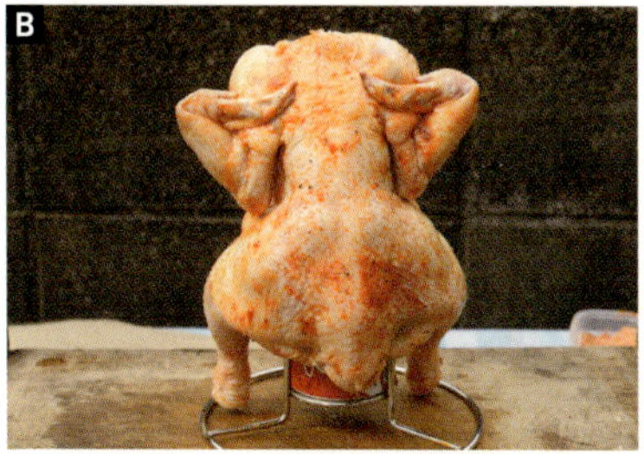
B

C

“かたまり”肉がおいしく焼ける

フタ付きグリルのススメ

フタの付いたグリルは、
オーブンのように高温で密封することで、
食材にまんべんなく火を通してくれる。
分厚い肉も、これがあると
豪快に焼き上げられる。

フタ付きグリルってどんなもの？

A. フタをすることで
分厚い肉の芯まで
火を通せるグリル

フタ付きグリルとは、文字どおりフタの付いたグリルのこと。オーブンのように高温状態で密封することで、分厚い肉などの火が通りにくいものの中まで火を通す。また、スモークをかけることができるのも特徴のひとつ。ハーブなどを入れると、食材に香りをつけてくれる。いろいろなタイプがあるが、フタに開閉できる通気孔がついたものなら温度調節がしやすくて便利。また、ビア缶チキンのように丸鶏を焼くなら、フタに高さが必要だ。

おすすめレシピ

- ペッパーステーキ（P.28）
- ベイビーバックリブ（P.30）
- ビア缶チキン（P.32）
- マグロのカマ焼き（P72）

大型の円形タイプ

デカい食材もダイナミックに焼き上げられる。脚が丈夫で安定性も抜群。

バーベキューグリル57cm 22-1/2 onetouch silver／Weber／22,890円（税込）

小型の円形タイプ

重さは約2kgで持ち運びも簡単。温度等を調節できる換気プレート付き。

Content ミニBBQ／コンテント／7,980円（税込）

長方形タイプ

卓上のグリル。炭の高さを上下させることで火力を調節できる。

アイアングリルテーブルシステムBBQボックス焼武者 CK130／スノーピーク／18,690円（税込）

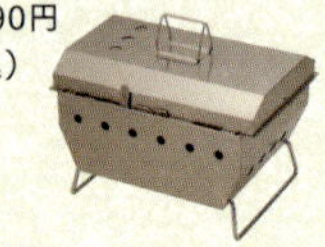

Q.
どうやって使うの？

A.
普通のグリルと使い方は同じ。炭の置き方を工夫すると効果的

大型のグリルは、炭の置き方を工夫するともっとおいしく焼けるようになる。ビア缶チキンを作るなら、スプリット・ツーゾーン・ファイヤーが最適な配置だ。

◎スリーゾーン・ファイヤー

Three-Zone Fire

グリルを火の強さに応じて3分割する。強火ゾーンは炭を2層、中火ゾーンは1層にし、保温ゾーンは炭を置かない。強火ゾーンはあえて焦げ目をつけるときなど、保温ゾーンは焼けた肉や野菜を保存しておくのに使う。

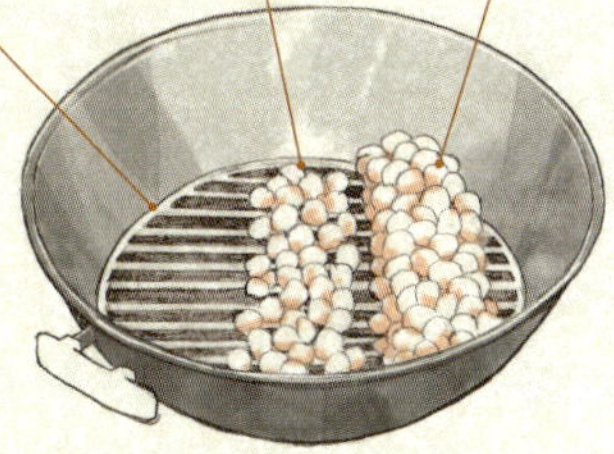
保温ゾーンは焼けた肉などの保温用に
通常は炭が1層の中火ゾーンを使う
炭を2層にした強火ゾーンは分厚い肉の焼きはじめに

◎スプリット・ツーゾーン・ファイヤー

Split Two-Zone Fire

グリルを両端の炭を置くところと中央の炭を置かないところにわける。なお、とくに脂身の多い食材を焼く場合には、炭を置かないところにアルミ皿を置くとよい。それによって、滴った脂が炭に移るのを防ぐことができる。

炭があるところは、おもに焼きはじめに使用
炭がないところは、フタをしてじっくりと材料の中まで火を通すために使う

Q.
ない場合はどうするの？

A.
安全に密封することを考えよう

便利なフタ付きグリルだが、なくてもアイデア次第で同様の効果を得られる。ポイントは安全面を考慮しつつ、いかに密封するかだ。

取っ手付きのフタを用意する

蒸し焼き用として市販されている取っ手付きのフタを利用する。また、金属製のボウルに取っ手をつけて、フタを自作してもよい。

アルミ皿を裏返して使う

アルミ皿を裏返してフタとして使用する。きちんと密封するために、上から重しをのせるとよい。

アルミホイルをかぶせる

あると重宝するアルミホイル。大きめにカットして、四隅や端に石などをのせれば、密封空間のできあがり。

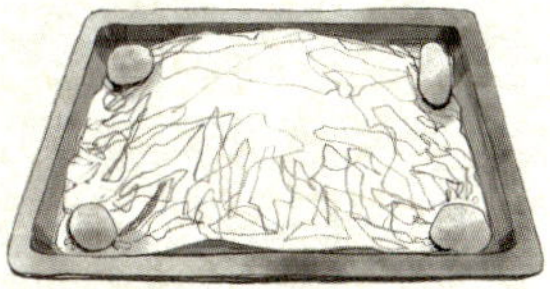

04 // Meat // 40 min

みんなでワイワイ！ ブラジリアンBBQ

シュラスコ＆パイナップル焼き

肉のブロックとパイナップルを丸ごと串刺しにして、じっくりと焼き上げる。
肉は焼けた部分から切りわけて、パーティ気分で盛り上がろう。

切りわけるときの
ワクワク感は最高！

●材料

＜シュラスコ＞

牛ランプ肉※　1ブロック（800ｇ～1kg）
塩・コショウ　適量

＜モーリョ（シュラスコ用のソース）＞

ピーマン　1/2個
玉ネギ　1/2個
トマト　1/2個
すりおろしニンニク　少々
ワインビネガー　100㎖
塩・コショウ　少々
オリーブオイル　大さじ2

＜パイナップル焼き＞

パイナップル　1個
シナモンパウダー　適量
コンデンスミルク　適量

※ 肉は肩ロース、コブ肉などのほかのリーズナブルな牛肉でもOK。サーロインなどの脂身の多い肉だと、焼く際に油が落ちて炎になり、肉がすぐに焦げてしまう

●作り方

【準備】

＜シュラスコ＞

①モーリョの材料の野菜をそれぞれみじん切りにして、調味料と混ぜ合わせておく

＜パイナップル焼き＞

①パイナップルの皮をむいておく

【調理】

＜シュラスコ＞

②肉をスキュア（金串）に刺し、全体に塩・コショウを振る

☞コショウは多めに

③炭の上で②のスキュアを回しながら全体を焼く（A）

④焼き上がったところから切って器に盛りつけ、①をかける（B）（C）

＜パイナップル焼き＞

②パイナップルにシナモンパウダーを振り、スキュアに刺して炭の上で回しながら焼く（A）

③焼けたら切りわけて器に盛り、コンデンスミルクをたっぷりかける

05 // バラエティレシピ //

骨までしゃぶっちゃう！

スペアリブ

肉の旨みをとことん味わえるスペアリブは
バーベキューに欠かせない存在。
多めに用意してもあっという間に
なくなるほどの人気だ。
コーラを使って柔らかく煮たり、
チリソースを塗って甘辛く焼き上げたりと、
旨みを引き出す方法は変幻自在。

スペアリブ①

デリシャス・スペアリブ

●材料
豚スペアリブ　700g

<漬け込みダレ>
しょう油　大さじ2
酒　大さじ2
砂糖　大さじ1
ハチミツ　大さじ1
ケチャップ　大さじ1
玉ネギのすりおろし　1/4個分
すりおろしショウガ　小さじ1
すりおろしニンニク　小さじ1

●作り方
【準備】
①漬け込みダレの材料を混ぜ合わせて、タレを作っておく

【調理】
②①の漬け込みダレにスペアリブを入れて30分ほど漬け込む
③網に②を並べ、残っている漬け込みダレをハケでぬりながら両面をこんがりと焼く

スペアリブ ②

ハワイアン・スペアリブ

●材料

豚スペアリブ　700g
コーラ（350㎖）　1本

<漬け込みダレ>
カイエンペッパー　小さじ1
すりおろしニンニク　小さじ2
塩・コショウ　少々
しょう油　大さじ4
オリーブオイル　大さじ2

●作り方

【準備】

①漬け込みダレの材料を混ぜ合わせて、タレを作っておく

【調理】

②①の漬け込みダレにスペアリブを入れて30分ほど漬け込む
③②をフライパンに移してコーラを注ぎ、汁気がなくなるまでゆっくり煮る

いろいろな料理方法があるスペアリブは、自家製のタレに漬け込むのもおすすめ。仕込みもそれほど手間がかからない。漬け込む時間が長いほどおいしくなるので、前日から仕込んでおいてもよい。

スペアリブ ③

アジアン・スペアリブ

●材料

豚スペアリブ　700g
コリアンダー　大さじ1
塩・コショウ　少々
スイートチリソース　大さじ3

●作り方

①スペアリブにコリアンダー、塩・コショウを振って、網にのせて焼く
②両面に焼き色がついたら、チリソースをハケでぬりながらさらに焼いていく

スペアリブ ④

スウィート・スペアリブ

●材料

豚スペアリブ　700g
すりおろしニンニク　小さじ2
塩・コショウ　適量

<ソース>
トマト水煮缶　1/2缶
白ワイン　100㎖
オレンジジュース（100％）　100㎖
ママレード　大さじ4
コリアンダー　適量
オレガノ　適量
オリーブオイル　大さじ3

●作り方

【準備】
①ソースの材料を混ぜ合わせて、ソースを作っておく

【調理】
②スペアリブにニンニクをすり込み、塩・コショウをして表面を焼く
③鍋に②を並べ、①を入れて30分ほど煮込む
④最後に塩・コショウで味を調える

06 // Meat // 40 min

味噌とヨーグルトが織りなすハーモニー
牧場（まきば）チキン

味噌とヨーグルトという
発酵食品同士の組み合わせが
チキンをおいしく変身させる。
味がしっかりと染み込むように
鶏肉に小さな穴を開けておくこと。

切りわけて野菜と一緒に
パンにはさんでもうまい

●材料
鶏むね肉　1kg
ヨーグルト　250g
みそ　大さじ4
みりん　少々

●作り方
【準備】
①鶏肉は皮の部分にフォークで数カ所刺して穴をあける
②ビニール袋にヨーグルト、みそ、みりんを入れて手で揉みながらよく混ぜ合わせ、①を加えて1時間から半日ほど漬け込んでおく

【調理】
③熱した網に皮を下にして焼き、ほどよい焼き色がついたら裏返して火のないところに移し、フタをして30分ほど焼く
☞フタがなければ、あらかじめ鶏肉を小さめに切って漬け込んでおく（この場合は火のないところに移す必要はない）。できればフタ付きグリルを使い、スプリットツーゾーンファイアー（P.35）で焼くのがベター。

07 // Meat // 30 min

何本でも食べられちゃう!?

世界の竹ちゃん（手羽中）

手羽先よりも火が通りやすい手羽中は
バーベキューにもってこい。
甘辛い味つけはやみつきになるうまさ。
手羽中はたくさん用意しておこう。

ビールにピッタリ!

●材料

手羽中　20本
白ごま　適量
ガーリックパウダー　適量

<タレ>
しょう油　大さじ4
みりん　大さじ2
酒　大さじ2
酢　大さじ1
水　大さじ2
豆板醤　適量
ハチミツ　大さじ2

●作り方

【準備】

①容器にタレの材料を入れて混ぜ合わせ、タレを作っておく

【調理】

②網で手羽中を焼く

☞フライパンがあれば手羽中が半分つかるくらいに油をひいて揚げるとよい。さらに、手羽中に薄力粉をまぶしておくと、よりカラッと揚がる

③鉄板に①を入れて煮詰めたら、②を入れてタレに絡める(A)(B)

③タレが全体に絡みついたら、白ごまとガーリックパウダーを振りかけて完成(C)

08 // Meat //

90 min

野菜の蒸気で
鶏肉の旨みを封じ込める

ローストチキン

丸鶏をそのまま蒸し焼きにする、
ダッチオーブン料理の花形的存在。
チキンの旨味を存分に吸った野菜も
最高のつけあわせだ。

大きめに切りわけて
彩りよく盛ろう！

●材料

丸鶏（中抜き） 1羽
セロリ 2本
玉ネギ 2個
ニンジン 2本
ジャガイモ 2個
トウモロコシ 1本
ニンニク 2個
塩・コショウ 適量
オリーブオイル 適量

●作り方

【準備】

①セロリは10～15cmくらいの長さに、玉ネギ、ニンジン、ジャガイモは皮付きのまま大きめに、トウモロコシは半分に切っておく（A）

【調理】

②鶏肉に塩・コショウを振る（B）

③あらかじめ熱したダッチオーブンにオリーブオイルをひいて②を焼き、軽く焦げ目がついたら取り出す

④ダッチオーブンに①のセロリを敷き、③を戻して（C）、フタをして45分ほど焼く

☞フタにも炭をのせること（炭の量は下が1に対して、フタの上は2）。なお、セロリを敷くことでチキンの焦げ付きを防ぎ、さらにその風味が味わいを豊かにする

⑤残りの野菜をダッチオーブンに入れて、さらに30分ほど焼く

A

B

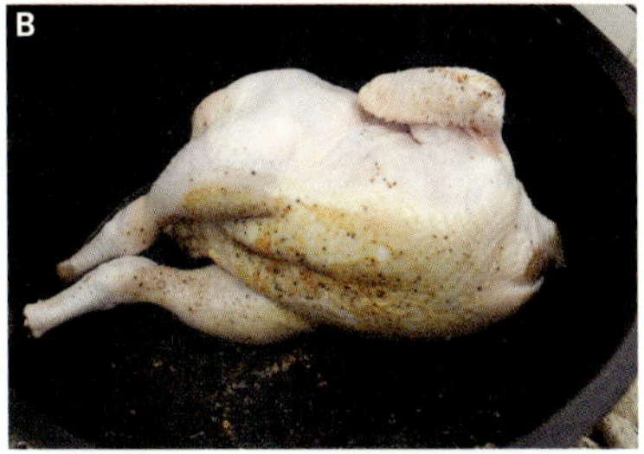

C

09 // バラエティレシピ //

BBQといえばやっぱり
串焼き

塩と黒コショウというシンプルな味つけで
食材本来の味を堪能できる串焼き。
いろいろな材料を組み合わせて焼くと、
ひと味違うバーベキューを楽しめる。
焼き上がりの目安は20分程度。
串を回しながら、炭の香りをたっぷり吸わせ、
じっくりと焼き上げよう。

☞長芋にはしっかりコショウを振る

●作り方

【準備】

①材料を食べやすい大きさに切り、串に刺しておく

【調理】

②網に①を並べて焼く

☞焼き上がったら梅肉を塗り、刻んだ青ジソの葉をのせる

材料の組み合わせのポイントは、一串の焼き上がりが同じになるように組み合わせること。例えばトマトはすぐ中まで火が通るので、ベーコンなどの同様に短時間で焼き上がる材料と組み合わせるとよい。食材をカットする大きさにも気をつけよう。

10 // Meat //

10 min

炭焼きならではの香ばしさ！

宮崎風の鶏もも炭火焼き

普通の鶏もも肉が、ちょっとした工夫で宮崎名物「地鶏炭火焼」に。
ポイントは炭に油をさしながら、鶏を炎で真っ黒に焼くこと。
長めのトングを使って、炎の中をダイナミックに転がそう。

●材料

鶏もも肉　2枚
水菜　1/2袋
塩・コショウ　適量
サラダ油　適量

●作り方

【準備】

①水菜は食べやすい長さに切っておく

【調理】

②鶏肉に塩・コショウを振り、トングを使ってサラダ油を薄く塗った網の上であぶるように焼く

☞鶏肉は分厚い部分は、火の通りをよくするためにあらかじめ包丁で開いて薄くしておくとよい

③炎を出すために、ときどき横から油をさす

☞ときどき炎を出して豪快に焼き上げる。油は調味料入れのディスペンサーなどに入れておく

④器に水菜、切りわけた鶏肉を盛り、お好みでマスタードまたはゆずコショウをつけて食べる

11 // Meat // 20 min

スパイシーさがくせになる！

シシカバブ

香辛料をたっぷり使って大人の味に仕上げたエスニック風のひき肉料理。脂を落としながら焼くので、とてもヘルシー。新鮮な生野菜と一緒に食べると肉の旨みを引き立ててくれる。

●材料

牛ひき肉　400g
カイエンペッパー　小さじ2
クミン　小さじ2
コリアンダー　小さじ2
塩・コショウ　小さじ1
オリーブオイル　大さじ2

●作り方

【準備】

①ボウルに材料を入れ、粘りが出るまで手でよくこねる

②①を4等分にして丸め、一つずつ両手でキャッチボールして中の空気を抜く

③金串に②を細長く巻きつけておく

☞金串は太めの竹串などでも代用可能。ごぼうやアスパラガス、ニンニクの芽などを串に使うと串ごと食べられる

【調理】

④③を網の上に並べる

⑤ときどき向きを変えながら焼いていき、全体にこんがりと焼き色がついたらできあがり

12 // Meat // 30 min

本格派インド料理が簡単にできちゃう！

タンドリーチキン

ヨーグルトとカレー粉が織りなす、異国情緒あふれる美味しさが魅力。
ポイントは味を染み込ませるためしっかりと漬け込むこと。
焦げはあまり気にせず、しっかり中まで火を通そう。

●材料

手羽元　4本
塩・コショウ　少々

<漬け込みダレ>
ヨーグルト　1/2カップ
カレー粉　大さじ2
トマトケチャップ　大さじ1
ハチミツ　大さじ1
すりおろしニンニク　小さじ1

●作り方

【準備】

①手羽元に塩・コショウを振る
②ビニール袋に漬け込みダレの材料を入れてよく混ぜ合わせ、①を加えて1時間から半日ほど漬け込んでおく
☞漬け込む時間が長いほどおいしくなる

【調理】

③②についている余分なタレをキッチンペーパーで拭き取り、20〜30分ほど網に並べて焼く
☞辛いのが好みなら、最後にカイエンペッパーを振りかけてもよい

13 // Meat // 20 min

ハワイで人気のB級グルメ

フリフリチキン

ハワイで人気のチキン料理をバーベキューで手軽に再現。
見た目の赤さはインパクトがあり、食欲をそそる。
スパイシーな仕上がりながら、見た目ほど辛くないのでご安心を。

●材料

鶏もも肉　2枚
すりおろしニンニク　大さじ1
パプリカパウダー　小さじ2
コリアンダー　小さじ2
塩・コショウ　少々

●作り方

【準備】

①鶏肉は分厚いところに切り込みを入れて開き、均等の厚さにしておく

☞均等の厚さにすると、焼きむらがなくなる

【調理】

②①にニンニクをすり込む。その上にパプリカパウダー、コリアンダー、塩・コショウを振り、さらによくすり込む

☞スパイスは見た目が赤くなるほどたっぷりかける

③皮を下にして、じっくり焼いていく。中まで火が通ったら完成

煮込み料理だけでなくスイーツも
ダッチオーブンのススメ

ダッチオーブンは、いわば万能調理器具。
焼く、炒める、煮る、蒸す、揚げる、と
あらゆる役割をこなせるので
アウトドア料理のレパートリーを
グッと広げてくれる。

Q. ダッチオーブンってどんなもの？

A. 重厚なつくりで旨みを封じ込める鍋

ダッチオーブンは鋳鉄という金属製の鍋。鋳鉄は熱されにくいが、一度熱されると冷めにくいという特徴があり、中の食材にくまなく熱を伝えられる。また、重厚なフタの重みにより、蒸気を漏らさず、旨みをギュッと封じ込める。作れる料理は、蒸し焼きをはじめ、煮込みやスイーツとかなり幅広い。

本書掲載のレシピ

焼く
- ローストチキン（P.46）
- ピザ・マルゲリータ（P.106）
- カスタード・ライスプリン（P.114）
- フルーツグラタン（P.116）
- 焼きリンゴ（P.117）
- とろけるチョコケーキ（P.118）

煮る
- 牛タンシチュー（P.56）
- 男のポトフ（P.58）
- 牛肉のビール煮込み（P.62）
- 丸鶏の中華粥（P.98）

蒸し焼き料理はとくに得意なジャンル

Q. おすすめのダッチオーブンは？

A. BBQ向きなのはフタに縁があるタイプ

ダッチオーブンにはいくつかタイプがあり、とくに注目したいのがフタに縁がある（上に出っ張っている）かどうか。縁があればフタの上に炭をのせやすい。また、脚が付いているものと付いていないものがあり、炭の上に置きやすいのは脚付きのほう。サイズも豊富だが、4〜6人用として一般的によく使われるのは10インチ（直径約22cm）のもの。最近は本来の鋳鉄製以外に、衝撃に強いステンレス製のものなどもある。なお、個々の製品に差があることも考えられるので、できれば実際に自分の目で見てから買いたい。全体の厚みが均等で、本体とフタがきっちりとかみ合っているものを選ぼう。

フタに縁があるタイプ

バーベキューの定番といえばこのタイプ。12インチなら大人数でもOK

SLダッチオーブン12インチ・ディープ（バッグ付）／ロゴス／7,690円（税込）

ステンレス製

シーズニング（慣らし）が不要で衝撃やサビにも強い。

ステンレスダッチオーブンST-910 ／ SOTO ／ 29,400円（税込）

Q. どうやって使うの？

A. そのまま炭の上に置くだけ

基本的には、そのまま炭の上に置くだけでよい。焼きリンゴのように、オーブンのような効果が必要な料理には、フタにも炭をのせる。また、ローストチキンのように蒸し焼きする料理は、あらかじめ十分に熱して使う。これをプレヒートといい、ダッチオーブンの基本的な使い方のひとつとなっている。

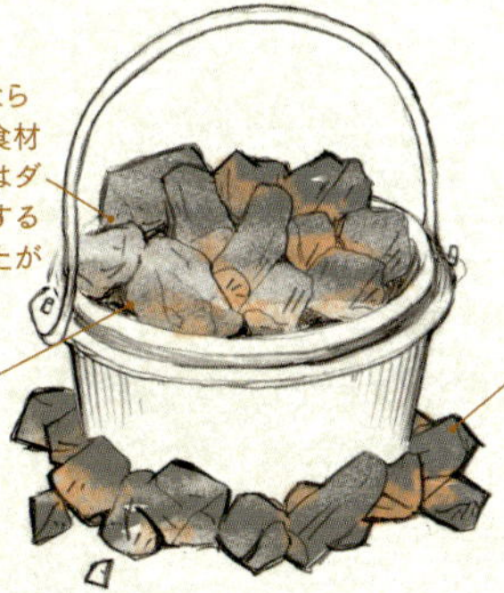

オーブンのような効果が必要ならフタにも炭を置く。その場合、食材との距離が遠いため、炭の量はダッチオーブンの下よりも多くする（割合は下が1に対してフタの上が2が目安）
フタを開けると熱が漏れるが、焼き加減が気になるなら開けて確認を
炭はまわりにバランスよく配置する

Q. メンテナンスのコツは？

A. 使い終わったらオリーブオイルを塗ろう

新品のダッチオーブンは、シーズニングという慣らしが必要なことが多い。長く使うためにも、説明書に従って、しっかりと行おう。使用後はタワシでていねいに汚れをこすり洗いし、乾かしたらオリーブオイルもしくは植物性油を薄く塗っておくとよい。洗剤は重曹がおすすめで、タワシは金属製のものを使うと傷がつくことがあるので要注意。

14 // Meat // 180 min

旨味をウシなわずギュウっと凝縮！

牛タンシチュー

コトコト煮込む本格派シチューをバーベキューで。
ダッチオーブンの圧力効果によってタンが箸でほどけるほどトロトロ柔らかに。
濃厚な味わいはパンにもピッタリ。

●材料

牛タンブロック　1本（1kg）
ニンニク　1かけ
玉ネギ　1個
ニンジン　1本
ジャガイモ　4個
赤ワイン　1カップ
水　1カップ
ローリエ　2枚
トマトケチャップ　1/2カップ
デミグラスソース　1缶
塩・コショウ　適量
オリーブオイル　適量

●作り方

【準備】

①ニンニクは包丁の腹でつぶしておく
②牛タンは1cmの厚さに切っておく
③玉ネギは縦に4つ割り、ニンジンとジャガイモは皮をむいて大きめの乱切りにしておく

【調理】

④あらかじめ熱したダッチオーブンにオリーブオイルをひいて①を入れる。続いて②を入れて両面をこんがり焼く（A）
⑤④に軽く塩・コショウをして赤ワインを加えて煮立て、アルコール分をとばす（B）。水を入れて再び煮立ったら、火を弱くする（炭を減らす）。フタをして、1時間ほど煮込む
☞ときどきアクを取りながら、じっくりコトコト煮込む
⑤③の野菜、ローリエ、トマトケチャップを加え（C）、さらに30分～1時間ほど煮込む
⑥最後にデミグラスソースを加え、さらに15～30分煮込み、塩・コショウで味を整える

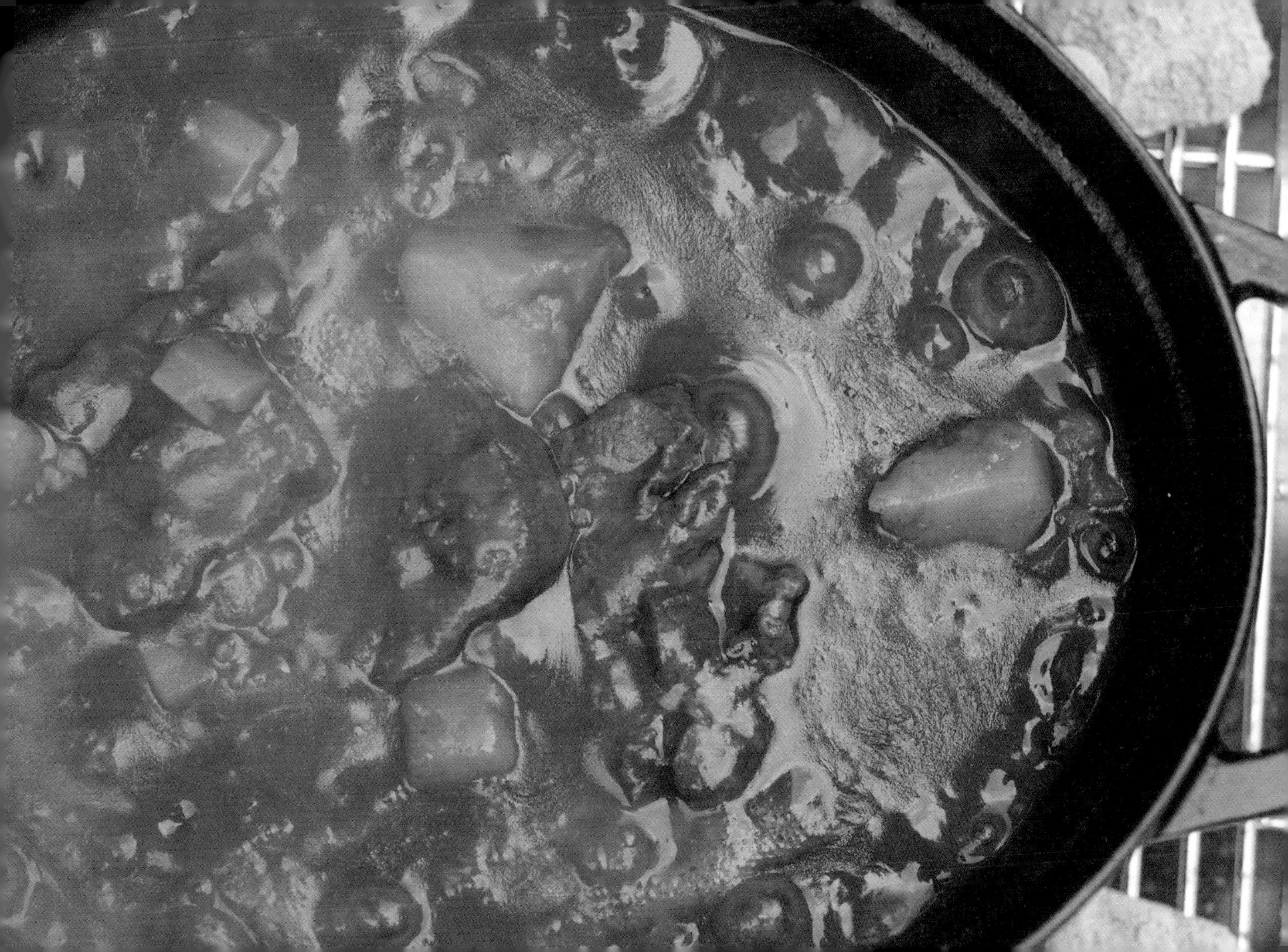

15 // Meat // 50 min

取りわけたら
熱いうちにどうぞ！

黙って丸ごと入れるんじゃい！

男のポトフ

**大きめのスペアリブとザックリ切った野菜を
白ワイン＋コンソメだけで煮込む豪快料理。
寒い時期にはじっくり煮込んだ
肉と野菜が体を温めてくれる。**

●材料

豚スペアリブ　1kg
ソーセージ　4本
キャベツ　1個
ニンジン　2本
ジャガイモ　3個
トマト　2個
すりおろしニンニク　小さじ1
塩・コショウ　少々
ローズマリー　2本
ローリエ　2枚
コンソメの素　1個
白ワイン　400㎖
オリーブオイル　適量

●作り方

【準備】

①キャベツは芯を切り抜いて半分に、ニンジン、ジャガイモは皮をむいて大きめのざく切りにしておく。トマトは皮と種を取り、輪切りにしておく

【調理】

②スペアリブに塩・コショウを振る
☞薄力粉をまぶすとカリッと焼き上がる

③あらかじめ熱したダッチオーブンにオリーブオイルをひき、ニンニクと②を入れて表面をキツネ色になるぐらいまで焼く（A）

④③にキャベツ、ニンジン、トマト、ローズマリー、ローリエ、コンソメの素、白ワインを入れて（B）、フタをする。沸騰したら弱火にして（炭を減らして）、25分ほど煮る

⑤ジャガイモ、ソーセージを加えて20分ほど煮る（C）。最後に、塩・コショウで味を調える

16 // バラエティレシピ //

ピザにカレーにリゾットに

鶏のトマト煮込みスープ

鍋で作る、トマトベースのスープで
調理時間はおよそ40分。
玉ねぎとはちみつのとろりとした甘みはくせになるおいしさ。
ご飯やパスタとの相性もバッチリで、可能性は無限大。
多めにつくって自分なりのアレンジを見つけよう。

●材料／6人分

鶏もも肉　3枚
玉ネギ　3個
マッシュルーム　18個
すりおろしニンニク　大さじ1
塩・コショウ　少々
オリーブオイル　大さじ6

＜煮込みソース＞
トマト水煮缶　3缶
赤ワイン※　150㎖
水　450㎖
ハチミツ　大さじ6
ケチャップ　大さじ6
しょう油　大さじ3
酢　大さじ6
コンソメの素　3
ローリエ　1枚
ドライバジル　大さじ3
オレガノ　大さじ1

※赤ワインの代わりに料理酒でもOK

●作り方

【準備】

①鶏肉はひと口大に切り、塩・コショウで下味をつける

②玉ネギは縦に幅1cm幅で切り、マッシュルームは石づきを切って縦半分に切る

【調理】

③鍋にオリーブオイル、すりおろしニンニクを入れて炒める

④香りが出たら、玉ネギ、マッシュルームを入れてしんなりするまで炒める。さらに鶏肉も加えて炒める

⑤④にトマト水煮をつぶしながら加え、残りの煮込みソースの材料も加えて弱めの火力で20分以上煮込む

☞煮込みの目安は玉ネギがトロトロになるまで

⑥器に盛り、お好みでドライパセリをのせてできあがり

リゾットやパスタ以外にもいろいろな楽しみ方がある。とくにおすすめはカレー粉を入れて煮ることで、そうすると有名カレー店顔負けの味に。ほかにもピザ生地(またはバゲット)にかけてチーズをのせて焼いたり、ご飯にかけてその上からホワイトソース、チーズを乗せてダッチオーブンで焼いてもうまい。ビーツと少量のサワークリームを加えるとボルシチ風にもなる。

リゾット

ご飯とチーズを入れて煮ると、あっというまにリゾットの完成。とろけたチーズが見た目にもうまい。卵を落としても美味。

パスタ

トマトベースなので、パスタとの相性も抜群。アウトドアドアでのパスタは、ペンネなどのゆで時間が短いショートパスタがおすすめ。ゆでたパスタにしっかりと絡めよう。

鶏のトマト煮込みスープ

ほかの料理のベースにもなる、いわば万能スープ。とけたトマトはもちろん、玉ねぎやはちみつの深い甘みも味わえる。

17 // Meat // 120 min

じっくり煮込んで召し上がれ

牛肉のビール煮込み

ビールが肉のうまさを存分に引き出す！

世界的なビールの産地ベルギーを代表する料理。
牛肉をビールでじっくり煮込むことによって
肉の臭みを取り、やわらかく仕上げる。
焦げつかないように気をつけよう。

●材料

牛すね肉　500g
玉ネギ　2個
ニンジン　1/2本
ニンニク　2かけ
バター　20g
砂糖　大さじ2
酢　大さじ2
マスタード　小さじ1
缶ビール（350㎖）　2本
コンソメの素　1個
ローリエ　1枚

●作り方

【準備】

①牛肉は大きめに切っておく
②玉ネギ、ニンジン、ニンニクはみじん切りにしておく

【調理】

③あらかじめ熱したダッチオーブンにバターをひき、塩・コショウをした牛肉を焼く。表面に焼き色がついたらいったん取り出す
④肉汁が残ったダッチオーブンに、ニンニク、玉ネギ、ニンジンを入れて炒める
⑤砂糖、酢、マスタードを混ぜ合わせてから④に入れ、さらに香ばしくなるまで炒める
⑥残りの材料をすべて加え、ときどきかき混ぜながら1～2時間ほど煮込む
☞水分がなくなってきたら、コンソメスープを足して補う。煮ているあいだは、鍋底をこするようにしないと、すぐに焦げつくので要注意

肉に負けない！ 魚介の力

バーベ 3 魚介料理 Fish

バーベキューでは、魚介だって大活躍。
魚を丸ごと焼く豪快な料理から
ホイル焼きのような手軽な料理まで
焼く、煮る、蒸す……いろいろな調理に挑戦しよう。

18 // Fish // 70 min

塩釜割ったらホックホク！
タイの塩釜焼き

**タイを粗塩と卵白で固めて焼くこと、およそ1時間。
こんもりとした塩釜を
トングやハンマーで叩き割ると
中からは絶妙の塩加減のタイが現れる。**

●材料

タイ　1匹
粗塩　2kg
卵白　2個分

●作り方

【準備】

①タイはウロコと内臓・エラを取り除き、流水でよく洗って水気をふいておく

☞ウロコや内臓などは購入時に取ってもらうとあとが楽

【調理】

②塩と卵白を入れて混ぜ合わせる（A）

☞薄力粉も入れると（塩に対して1/4程度）、最後に割りやすくなる

③鉄板の上に②の半分程度を薄く敷いてタイを置き、残りの②でタイを覆い固める（B）

④アルミホイルをかぶせ、1時間ほど焼く（C）

☞ダッチオーブンでも可。蒸し焼きにしているので、周りの塩釜が焦げても大丈夫

⑤ハンマーなどで塩釜を割る。お好みでレモン汁を

A

B

C

19 // Fish // 30 min

バーベキューのビジュアル系料理

アクアパッツァ

**丸ごと1匹の魚が入った
豪快なイタリアの郷土料理。
魚介の旨みがとことん染み出たスープも
パンにひたしたり、パスタにしたりと
残さず食べつくそう。**

●材料

白身魚　1匹
アサリ　200g
アンチョビペースト※　大さじ1
ニンニク　1かけ
オリーブの実（水煮でも可）　12個
プチトマト　12個
ケイパー（塩漬け）　大さじ1
水　100㎖
白ワイン　大さじ2
塩・コショウ　適量
オリーブオイル　大さじ4

※ アンチョビ缶のアンチョビを潰して使ってもOK

●作り方

【準備】

①魚はウロコと内臓・エラを取り除き、流水でよく洗って水気をふいておく。火が通りやすいように、身の厚い中心部分に切れ目を入れておく

☞ウロコや内臓などは購入時に取ってもらうとあとが楽。仕込みが手間なら切り身でもよい

②ニンニクをスライスしておく

【調理】

③①の表面と腹の内側にまんべんなく塩・コショウを振る（A）

④フライパンにオリーブオイル大さじ2を熱し、③とニンニクを入れて焼く。焼き色がついたら裏返し、同様に焼き色をつける（B）

⑤アサリ、アンチョビペースト、オリーブの実、プチトマトを入れる。その後、魚の高さの半分程度に水と白ワインを注ぎ、沸騰したらオリーブオイル大さじ2をまわし入れる

⑥煮汁をすくって魚にかけながら、20～30分煮込む

⑦塩・こしょうで味を調える

☞パセリやスライスレモンを飾ると彩り豊かに仕上がる（C）

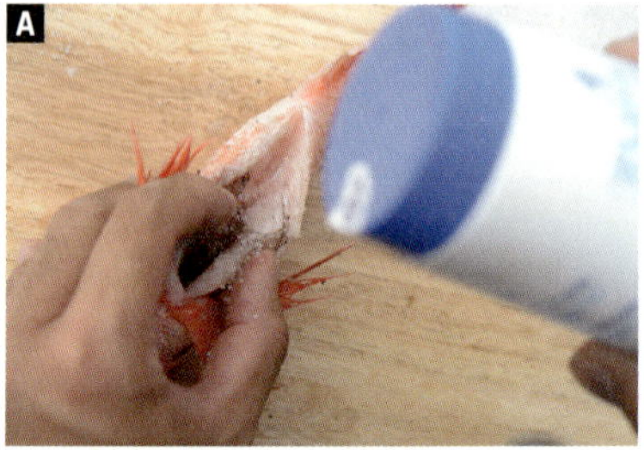
A

B

C

20 // バラエティレシピ //

開ける瞬間の
ワクワク感がたまらない
ホイル焼き

包みを開けたときにホワ～と
立ちのぼる湯気と香りが場を盛り上げてくれる。
作り方はいたってシンプルで、具材をアルミホイルに
包んだら、あとは炭の上に置くだけ。
準備を自宅ですませておけば、器具も汚さず、
ほかの料理を焼いている最中に完成する
おすすめレシピだ。

●作り方

【準備】

①アルミホイル(長さ約30cm)の中心に油やバターを薄く塗り、材料を入れてアルミホイルを閉じる

☞アルミホイルは破れやすいので、2～3重にするとよい。閉じる際には端を合わせて2回折り、ねじること

【調理】

②①を直接炭の上に置き、15～20分ほど焼く

☞できあがりのタイミングはジュ～と汁が焼ける音がしだしてから、5分後ぐらいが目安

材料は白身魚やきのこなど、淡白なものがおすすめ。アルミホイルで包みこむことによって、ニンニクやバターの旨みがしっかりと染み込む。たけのこなどの風味豊かな季節の食材もぜひ試したい。

イカのワタ詰め焼

たっぷりきのこのホイル焼き

カジキのホイル焼き

イカのワタ詰め焼き

●材料

イカ　1杯
ニンニク　1かけ
万能ネギ　1本
塩・コショウ　少々
バター　10g

●作り方

【準備】

①万能ネギは小口切りにしておく
②イカは、胴から足とワタと軟骨を抜き、目の下に包丁を入れてワタと足を切り離す
③足は縦に切れ目を入れ、目と口、墨袋を取って吸盤を削ぎ取り、2cmほどの長さに切る
④胴のなかに②のワタ、③の足、スライスしたニンニク、バターを詰め、つまようじで閉じておく
⑤バターを薄くぬったアルミホイルに③を置き、塩・コショウして包む

【調理】

⑥炭の上で20分ほど焼く。焼けたら万能ネギを散らし、切りわけてワタとからめながら食べる

たっぷりきのこのホイル焼き

●材料

シメジ　1/4パック
マイタケ　1/4パック
シイタケ　1枚
エリンギ（中）　1本
ニンニク　1かけ
塩・コショウ　適量
オリーブオイル　適量

●作り方

【準備】

①シメジとマイタケは石づきを取って小房にわけ、シイタケは石づきを取って4つに切り、エリンギは手で4つにさいておく。ニンニクはスライスしておく
②アルミホイルの中心にオリーブオイルを薄く塗り、ニンニク、①のキノコを盛り、塩・コショウを振ってアルミホイルを閉じる

【調理】

③炭の上に置いて15分ほど焼く。焼けたら、お好みですだちを添える

カジキのホイル焼き

●材料

カジキ　1切れ
シメジ　1/2パック
シイタケ　2枚
万能ネギ　1本
玉ネギ　1/8個
ニンニク　1かけ
白ワイン　小さじ1/2
しょう油　小さじ1/2
コショウ　少々
オリーブオイル　適量

●作り方

【準備】

①シメジは石づきを取って小房にわけ、シイタケは石づきを取って薄切り、万能ネギは小口切り、玉ネギとレモンはくし形に切る。ニンニクはスライスしておく
②容器に白ワインとしょう油、カジキを入れて味をつける
③オリーブオイルをひいたアルミホイルに、ニンニク、シイタケ、玉ネギを敷き、②のカジキ、シメジを重ねてコショウを振る。アルミホイルを閉じる

【調理】

④炭の上で15分ほど焼く。焼けたらアルミホイルを開けて万能ネギを散らし、お好みでレモンを添える

鉄板や網だけではもったいない

グリル徹底活用のススメ

鉄板や網で焼くのはまだまだ序の口。
フライパンや鍋など、いつもの道具を
グリルにのせて使うことをおすすめしたい。
スープや揚げ物など気の利いた料理が
作れてしまうのだ。

フライパンを使う

鉄板があれば十分だと思うかもしれないが、フライパンがあるとなにかと便利。鉄板よりも手早く炒められるし、アサリのワイン蒸しのように汁気があるものも炒めやすい。パスタのソースも絡められるし、パエリヤやトルティージャなどの豪快な料理も作れる。汚れなどを気にしなければ、自宅で使っているものでもOKだ。火力が足りなければ炭の上に直接置いてもよい。

本書掲載のレシピ

- スペアリブ(P.38)
- アクアパッツァ(P.66)
- アサリのワイン蒸し(P.76)
- ガーリックシュリンプ(P.77)
- トルティージャ(P.92)
- ミックスパエリア(P.104)

鍋を使う

十分な火力を確保をできるようであれば、鍋もグリルにのせてみよう。肌寒い季節にはスープ、小腹がすいたときには手軽にできるオリジナルレシピのカレー(P.102)など、シチュエーションに応じて活躍してくれる。ちなみに、あらかじめ鍋の外側にクレンザーを塗っておくと、それがコーティングしてくれるおかげでススを簡単に洗い流すことができる。

本書掲載のレシピ

- 鶏のトマト煮込みスープ(P.60)
- クラムチャウダー(P.80)
- にんにくのスープ(P.87)

アルミホイルを使う

定番ともいえるほどバーベキューで活用されているが、あらためておすすめしたいのがアルミホイル。フタ代わりにしたり、食材を包んで焼いたり、使い方はアイデア次第。ホイル焼きをすればキノコや魚の風味をいっそう際立たせてくれる。キャベツやカボチャもアルミホイルで包めば、丸ごと焼けてしまう。包む場合は破れてしまうこともあるので2重にしよう。

本書掲載のレシピ

- ホイル焼き(P.68)
- キャベツ大爆発(P.82)
- まるごとパンプキン(P.119)
- ベリーベリーマシュマロ(P.126)

コッヘルを使う

鍋のなかでも、とくに便利なのがコッヘルやシェラカップといったアウトドア用の携帯鍋。ソース(本書ではバーニャカウダーのソース)や少人数分のスープを作るときに活躍するが、ぜひ試してほしいのが油を使った料理。小さめのコッヘルやシェラカップならアヒージョなどの油で煮る料理、深めのコッヘルなら串揚げを作れる。いろいろなサイズのものが市販されているので、用途に応じて使いわけよう。

本書掲載のレシピ

- アヒージョ(P.78)
- バーニャカウダー(P.86)
- 串揚げ(P.90)

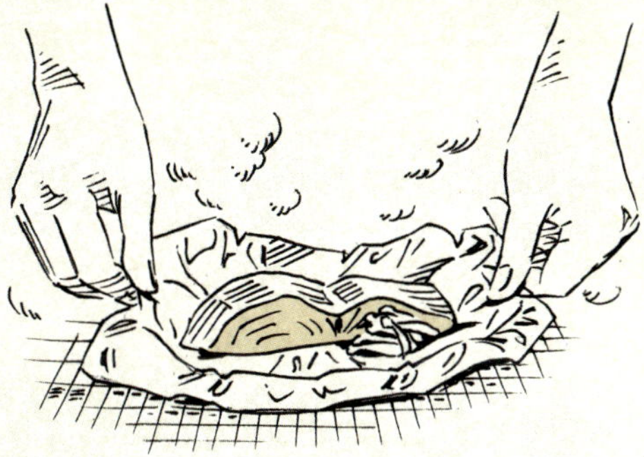

21 // Fish // 40 min

シンプルなのに
ホクホクでジューシー！

マグロのカマ焼き

うまくて、デカくて、リーズナブル。
フタ付きグリルがあれば
ふんわりジューシーに焼き上がる。
アルミホイルで包んで焼くだけでもOKだ。

●材料
マグロのカマ　1切れ
塩・コショウ　適量

●作り方
①マグロのカマに塩・コショウを振る
②①をグリルに並べ、フタをして焼く
☞おすすめはスプリットツーゾーンファイアー（P.34）で、真ん中で焼く。フタ付きグリルがなければ、アルミホイルに包んで焼いてもOK
③40分ほどで焼き上がり
☞カマは骨の奥の方にも身が隠れていることがあるので、逃さずほじくるように

22 // Fish // 20 min

辛みと酸味、あとひく旨さ

サーモンのマスタード焼き

鉄板で炒めたサーモンと玉ねぎに
特製のマスタードソースをかければ
食欲をそそる香りが一面に広がる。
しっかりと絡めてから食べよう。

●材料

生サケ※　3～4切れ
玉ネギ　1/2個
オリーブオイル　大さじ2

＜調味料＞
しょう油　大さじ1
みりん　大さじ1
酒　大さじ1
粒マスタード　大さじ2

※ 塩サケでは仕上がりが辛すぎてしまうので生サケを

●作り方

【準備】

①玉ネギは、半分に切ってから1cm幅にスライスし、調味料を混ぜ合わせておく

【調理】

②鉄板にオリーブオイルを熱し、サケの皮のほうから焼いていく

☞サケに薄力粉をまぶすとカラッと焼き上がる。また、アルミホイルで包んで網の上で焼いてもよい

③②の両面が焼けたら、玉ネギを入れて炒める

④玉ネギが少ししんなりしてきたら、①の調味料を入れて炒める

23 // バラエティレシピ //

簡単にできる、粋なおつまみ

缶バーベ

そのままでもうまい缶詰を
網の上に置いて火にかける
アウトドアのアイデアレシピ。
ネギを散らしたり、バターを溶かせば、
あっというまに特製おつまみに早変わり。
ビールや日本酒とご一緒に。

●作り方

【準備】

①野菜を使う場合は、あらかじめ切っておく

【調理】

②缶詰を開けて材料をのせ、火にかける。5分ほどで完成

オイルサーディン缶 山椒焼き

●材料
オイルサーディン　1缶
実山椒　5g
酒　大さじ1
しょう油　大さじ1
コショウ　少々
※ 実山椒の代わりに粉山椒でもよい

●作り方
①缶を開けて汁を捨て、酒としょう油を加える
②コショウを振り、実山椒をのせ、4〜5分ほど火にかける

焼鶏缶チーズ焼き

●材料
焼き鶏缶　1缶
とろけるチーズ　大さじ1
玉ネギ　少々

●作り方
【準備】
①玉ネギはスライスしておく

【調理】
②缶を開け、玉ネギ、チーズをのせる。4〜5分ほど火にかける

コーンバター

●材料
ホールコーン缶　1缶
バター　10g
クレイジーソルト　少々

●作り方
①缶を開けて汁を捨て、バターをのせて火にかける
②バターが溶けたら火からおろし、最後にクレイジーソルト（なければ塩でもよい）を振りかけてまぜる

サケ缶パン粉マヨネーズ焼き

●材料
サケの水煮缶　1缶
玉ネギ　少々
マヨネーズ　小さじ2
しょう油　小さじ1
パン粉　小さじ2
パセリ（乾燥）　少々

●作り方
【準備】
①玉ネギはスライスしておく

【調理】
②缶を開けて、玉ネギ、マヨネーズ、しょう油、パン粉の順にかける
③アルミホイルをして、パン粉に焦げ目がつくまで焼く。最後にパセリを振りかける

サンマの蒲焼缶〜柳川風〜

●材料
サンマの蒲焼缶　1缶
ゴボウ※　少々
卵　1個
万能ネギ　適量
※ ゴボウの代わりにニンジンや玉ネギでもよい

●作り方
【準備】
①ゴボウは笹がきにして水につけ、アクを抜く。万能ネギは小口切りにしておく

【調理】
②缶を開け、ゴボウをのせて火にかける
③ゴボウに火が通ったら、溶き卵を入れ、最後にネギを散らす

コーンバターや柳川風などの、居酒屋のメニューを参考にするのもおもしろい。また、バーナーがあれば、最後に表面をこんがり焼くと香ばしさが増し、見ためにもグッとおいしく仕上がる。なお、缶をそのまま容器として使う場合は、安全にはくれぐれも注意を。

24 // Fish // 15 min

プリッとした食感が最高！

アサリのワイン蒸し

バターの香りが食欲をそそる、
アサリの旨みを心ゆくまで堪能できるレシピ。
豊かなダシが溶け込んだスープも絶品。

●材料

アサリ　500g
ニンニク　1かけ
万能ネギ　適量
白ワイン　1/2カップ
オリーブオイル　大さじ2
バター　20g

●作り方

【準備】

①アサリを塩水（分量外）につけ、アサリ同士をこすり合わせながら洗い、ザルにあける
☞砂抜きされたアサリを買えば、調理前の下処理がラク！

②ニンニクはみじん切り、万能ネギは小口切りにしておく

【調理】

③フライパンにオリーブオイルを熱し、アサリ、ニンニク、白ワインを入れ、フタをして火にかける

④アサリが開いたらバターを入れて溶かし、万能ネギを散らす

25 // Fish // 20 min

ビールで茹でるとこんなに美味しい

ガーリックシュリンプ

ガーリックシュリンプはハワイで人気のおつまみ。
水で茹でるよりコクが出るのは、まさにビール・マジック。
豪快に手づかみで食べてほしい。

●材料

エビ　20尾
缶ビール（350㎖）　1本
ニンニク　2かけ
塩　小さじ1
オリーブオイル　大さじ2

●作り方

【準備】

①エビは殻をつけたまま、背わたを取っておく

☞背中の真ん中につまようじを軽く刺すと、スルッと取れる

②ニンニクをみじん切りにしておく

【調理】

③フライパンにビールを入れて沸騰させ、一気にエビを入れる

④エビが鮮やかなオレンジ色になったら取り出す

⑤ガーリックオイルを作る（フライパンで②をオリーブオイルで炒めて塩を入れる）

⑥⑤に④を入れてよく混ぜ合わせる

☞お好みでレモンを絞ったり、マヨネーズを絡めてもよい。パセリ（乾燥）を散らすと彩り豊かに仕上がる

26 // バラエティレシピ //

パンが欲しくなる
アツアツのスペイン料理
アヒージョ

スペインバルで人気のタパスと呼ばれる、
おつまみ料理の代表がこのアヒージョ。
土鍋やコッヘルなどの小さめの鍋を使い、
にんにくの効いたオリーブオイルで
具材を煮込めば
15分ほどでできあがり。
グツグツと煮えたぎった熱いうちに
食べてほしい。

●作り方

①耐熱容器に食べやすい大きさに切った材料を入れる。ニンニクと鷹の爪は、どのレシピにも入れる

②フライパンに具がつかるぐらいまでオリーブオイルを入れ、弱めの火力でゆっくり油煮する。材料に火が通ったら、塩で味を調える

エビとマッシュルームのアヒージョ

●材料
エビ※ 4尾
マッシュルーム 2個
ニンニク 1かけ
鷹の爪 1本
塩 少々
オリーブオイル 適量
※ エビの種類はなんでもOK

●作り方
【準備】
①エビは殻をむいて背わたを取り、マッシュルームとニンニクはスライス、鷹の爪は種を出しておく
☞エビの背わたは背中の真ん中につまようじを軽く刺せば、スルッと取れる

【調理】
②耐熱容器にエビ、マッシュルーム、ニンニク、鷹の爪、オリーブオイルを入れて油煮する
③エビに火が通ったら、塩で味を調える

ギンナンと砂肝のアヒージョ

●材料
砂肝 6個
ギンナン（水煮） 6個
ニンニク 1かけ
塩 少々
オリーブオイル 適量

●作り方
【準備】
①砂肝は5mm幅に切り、ニンニクはスライス、鷹の爪は種を出しておく

【調理】
②耐熱容器に砂肝、ニンニク、鷹の爪、オリーブオイルを入れて油煮する
③砂肝の色が変わったら、ギンナンを入れ、火が通るまで煮る
④塩で味を調える（最後にパセリ粉を振ると彩り豊かに仕上がる）

カキの真っ赤煮

●材料
カキ 10個
ニンニク 1かけ
鷹の爪 1本
塩 少々
パプリカパウダー 小さじ2
カイエンペッパー 小さじ1/2
オリーブオイル 適量

●作り方
【準備】
①カキは水で洗い、ニンニクはスライス、鷹の爪は種を出しておく

【調理】
②カキに塩を振る
③耐熱容器にオリーブオイルをひき、ニンニクと鷹の爪、②を入れて油煮する
④パプリカパウダーとカイエンペッパーを混ぜて、③に加え混ぜる

鷹の爪が効いたピリッとした仕上がりで、パンにもとてもよく合う。具はエビやタコなどの魚介類をはじめ、野菜もうまい。一口大の大きさにカットして入れよう。煮たった油の扱いはくれぐれも注意を。

27 // Fish //

x2 30 min

クリーミーでホッカホカ

クラムチャウダー

アサリの風味が溶け込んだ、
体を芯から温めてくれる
やさしい味わいのスープ。
細かく砕いたクラッカーが
とろみを加える。

●材料

アサリ　150g
クラッカー　12枚
ベーコン　2～3枚
ダイコン　5cm
ニンジン　1/4本
玉ネギ　1/2個
牛乳　400mℓ
バター　10g
水　400mℓ
コンソメの素　1個
塩・コショウ　少々

●作り方

【準備】

①砂抜きしていないアサリは塩水（分量外）につけ、アサリ同士をこすり合わせながら洗っておく

②クラッカーはビニール袋に入れて細かく砕き、ベーコンは1cm幅に切っておく

③ダイコン、ニンジンは1cmの角切り、玉ネギはみじん切りにしておく

【調理】

④鍋にアサリと牛乳を入れて火にかけ、アサリが開いたら火を止めて取り出し、殻から身を取る

⑤④の牛乳に砕いたクラッカーを加える

⑥別の鍋にバターを入れて火にかけ、ベーコンを炒める。ベーコンから脂が出てきたら、大根、ニンジン、玉ネギを加えて炒め合わせる

⑦全体にバターが絡まったら、④のアサリを加えて炒める。そこに水に溶かしたコンソメの素と⑤を加え、煮たってからさらに7～8分煮る

⑧とろみがついたら塩・コショウで味を調える

☞最後にパセリ（乾燥）を振ると彩り豊かに仕上がる

炭火で焼くとうまさが際立つ

バーベ4 野菜料理
Vegetables

サクッと炭火で火を通すと
野菜のうまさを最大限に引き出せる。
肉や卵と組み合わせた
ダイナミックな料理にもチャレンジを。

28 // Vegitable // 60 min

チーズがトロ〜リ、
肉汁がジュワ〜

キャベツ大爆発

キャベツを丸ごと使った豪快レシピ。
焼き上がりをザクリと切ると
中のチーズと肉汁が
一気にあふれだしてくる。

●材料

合ひき肉　300g
キャベツ　1個
玉ネギ　1/2個
ケチャップ　大さじ5
塩・コショウ　少々
とろけるチーズ　80g
サラダ油　適量

●作り方

【準備】

①キャベツの上部を切り取り、あとでフタとして使うのでとっておく（A）

②キャベツの中心部分を丸い形にくり抜いて（B）、細かく刻み、玉ネギはみじん切りにしておく

☞キャベツをくり抜く際に下まで貫通してしまうと調理時に汁がこぼれてしまうので要注意

【調理】

③鉄板にサラダ油を熱し、ひき肉に塩・コショウを振って炒め、②を加えてさらに炒める（C）

④③にチーズを混ぜたら、くり抜いたキャベツに詰め込み、①のキャベツのフタをする（D）

☞余った具材は、パンに乗せて焼くなど、ほかの料理にもアレンジできる

⑤アルミホイルで4～5重に包み、炭の上に置いて40～60分焼く（E）

☞中から材料が沸騰したジューという音が聞こえてきたら食べごろ

⑦アルミホイルを開け、キャベツを切って広げる（F）

A

B

C

D

E

F

29 // バラエティレシピ //

一番うまい野菜の食べ方

丸ごと焼き

野菜を丸ごと網に並べて焼いてみよう。
切らずに丸ごと焼くと、野菜の皮が水分と旨みをギュッと凝縮してくれるのだ。
簡単な調理法ではあるが、
野菜本来のおいしさを味わえるので、
ぜひ試してほしい。
また、ここではシイタケを驚くほどおいしく焼き上げるコツを紹介する。

シイタケの絶妙な焼き加減、教えます!

長ネギの和風&イタリア風

●作り方

①長ねぎを真っ黒になるまで焼き、包丁で外側の皮を縦に割いて開き、中身を等分する

②お好みで、みそダレかイタリアンソースをかける。イタリアンソースは温かいうちにかけて、塩・コショウで味を調える

<みそダレ>
みそ　60g
砂糖　40g
酒　少々
しょう油　小さじ1/2
おろしニンニク　少々

<イタリアンソース>
バルサミコ酢　小さじ1
オリーブオイル　小さじ1
塩・コショウ　少々

長イモ

●作り方

ときどき向きを変えながら、皮を焦がす程度に焼く。1cm幅の輪切りにし、ワサビじょう油で食べる

トマトのバジル焼き

●作り方

ヘタから1cmのところを切り落としたトマトに、オリーブオイルを回しかけ、塩を振ってアルミホイルで包む。炭の上に置き、火が通ったらバジルをかける

和風アボカド&アボカドスイーツ

●作り方

種を抜いたアボカドの皮面を焦げめがつく程度に焼く。続いて実の面を焼き、実がはがれてきたら、食べやすい大きさに切れ目を入れる。和風はワサビじょう油、スイーツはマスカルポーネチーズ(なければクリームチーズでもよい)、ハチミツをかける

シイタケ

●作り方

①シイタケの石づきを取っておき、かさを下にして、塩を振りかけて焼く

②数分して、塩がキラキラときらめき出したら、食べ頃のサイン。塩は岩塩などの粒の大きなもののほうがキラキラがわかりやすい

☞裏返さない。汁をこぼさないように注意する

30 // Vegetable // 10 min

これで野菜が主役に変身！

バーニャカウダー

野菜をおいしく食べるためのひと工夫。
アンチョビとニンニクのソースをグリルで温めれば、
イタリアンの定番、バーニャカウダーが野外でも楽しめる。

●材料

エリンギ　1パック
オクラ　1パック
カブ　3個
カボチャ　1/4個
ナス　2本
ニンジン　1本
パプリカ　2個

＜バーニャソース＞
アンチョビペースト※
　大さじ1
おろしニンニク　大さじ1
オリーブオイル　100㎖

※アンチョビ缶のアンチョビを潰して使ってもOK

●作り方

【準備】
①野菜とキノコを食べやすい形に切っておく
☞野菜はお好みのものでOK。アスパラガスやエノキなどもおいしい

【調理】
②耐熱容器にバーニャソースの材料を入れて混ぜ合わせる
③網に①を並べて焼き、同時に②を温める
④野菜が焼き上がったら完成。バーニャソースをつけて食べる
☞あまったソースはパスタなどにもおすすめ

31 // Vegetable // 20 min

ヒタヒタのパンに染み込むうまさ

にんにくのスープ

スペインの家庭料理をバーベキューでお楽しみあれ。
ほどよい辛さが体を温めてくれるスタミナスープ。
コッヘルなどの小鍋で作りたい。

●材料

チョリソー　4本
玉ネギ　1個
ニンニク　4かけ
鷹の爪　2本
コンソメの素　2個
水　400㎖
卵黄　2個分
塩・コショウ　適量
ニンニクチップ　適量
バゲット
　4枚分（1cm幅）
オリーブオイル　適量

●作り方

【準備】

①玉ネギとニンニクは薄くスライス、チョリソーは粗みじん切り、鷹の爪は半分に割って種を出しておく

【調理】

②オリーブオイルを熱した鍋に、ニンニク、鷹の爪を入れて軽く炒める

③②にチョリソーと玉ネギを入れて炒める。玉ネギが飴色になったらコンソメと水を入れて軽く煮詰め、塩・コショウで味を調える

④③に卵黄を落とし、にんにくチップを振りかける。バゲットは食べやすい大きさに切って、スープにひたして食べる

意外とカンタンにできる
燻製のススメ

スモークチップで食材をいぶし、
独特の風味を楽しむ燻製。
キャンプの静かな夜に
火を囲んでじっくりやりたい。
おともにはウイスキーやワインをぜひ。

とろとろ燻製卵

●材料

卵　6個

<調味液>
水　1ℓ
三温糖　100g
粗塩　100g
酒　100mℓ
黒コショウ　適量
タイム、ローリエなどのお好みのハーブの粉　適量

●作り方

①調味液の材料を混ぜ合わせて3分ほど沸騰。冷ましてから使う
②鍋に水と卵を入れて火にかけ、沸騰して2分ほど茹でたら、冷水にとって冷やす
③殻をむいて調味液(150mℓ)に2～3時間ほど漬け込む
④弱火で8分ほどいぶす(いぶし方は右ページ参照)

Q. どうやって作るの？

A. ダッチオーブンで食材を燻でいぶす

専用の器具もあるが、ここではダッチオーブンを使った燻製の方法を紹介する。まずはダッチオーブンにスモークチップを敷き、その上に脚付きの網（なければ石などを使って網を浮かせる）を置く。最後に材料をのせれば準備完了。あとはダッチオーブンを火にかけて、5～10分ほどいぶすだけ。完全に密封するのではなく、少しフタを開けて、なかの空気をわずかに逃がすのがポイント。

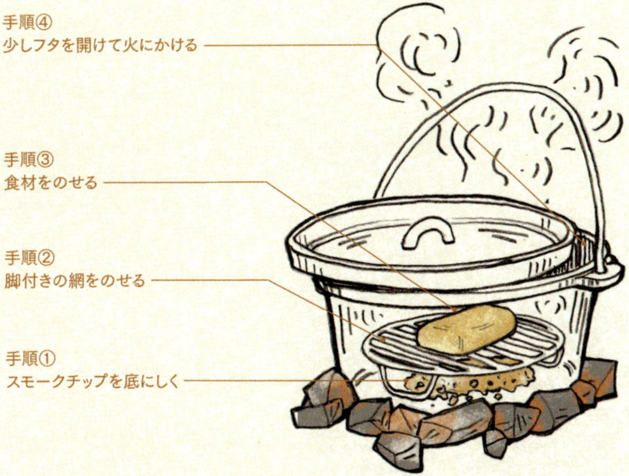

Q. どんな食材が向いているの？

A. 定番は練り物やチーズで、フルーツもおすすめ

燻製に向く食材といえば、かまぼこなどの練りものやチーズがポピュラー。そのほかにはホタテや干物などの魚介、手羽中やベーコンなどの肉も風味豊かにできあがる。とくに女性に喜ばれるのがスイーツで、洋ナシやマンゴーなどのフルーツは甘みが増し、チーズケーキもうまい。また、スモークチップにもいろいろな種類があるので、チップ選びも楽しみたい。例えばサクラやクルミは香りのバランスがよく、どんな食材にも合うし、ヒッコリーは肉や魚との相性がよい。左ページの「とろとろ燻製卵」で使った漬け込み用の調味液を活用しつつ、チップとの相性も考えながら、いろいろな食材に挑戦してみよう。

おすすめレシピ

チーズ
プロセスチーズ（カマンベールチーズでもよい）を中火で2～4分いぶす

ホタテ
ホタテを調味液（150CC）に10分ほど漬け込む。キッチンペーパーで水気を取り、1時間ほど乾燥させたら、中火で3分、弱火で5分ほどいぶす。その後、チップを取り除いてフタを開けた保温状態で30分ほど乾燥させる

手羽中
手羽中を調味液（150CC）に20分ほど漬け込む。キッチンペーパーで水気を取り、30分ほど乾燥させたら、弱火で10分ほどいぶす。その後、チップを取り除いてフタを開けた保温状態で20分ほど乾燥させる

32 // バラエティレシピ //

二度づけ？　今日はいいでしょう！

串揚げ

野外でアツアツの串揚げが食べられる。
小鍋やコッヘル（アウトドア用の携帯ナベ）
などに揚げ油を入れ、アミの上で熱すれば油の準備はOK。
あとは食材に衣をつけて揚げるだけ。
定番の肉類や魚介類はもちろん、
バナナなどもお試しを。ソースを数種類用意すると
楽しみがさらにアップする。

●材料
＜衣＞
薄力粉　1カップ
卵　1個
水　1/2カップ
パン粉　2カップ
串揚げ用ソース※1　適量

＜揚げ油＞
サラダ油　適量※2

※1 ソースは市販のタルタルソースやポン酢などお好みのものを
※2 容器に応じて食材がスッポリつかる程度が目安

●作り方
【準備】
①材料を食べやすい大きさに切り、串にさしておく

【調理】
②薄力粉と卵、水を混ぜ合わせて、衣を作る
③串に刺した材料を②にくぐらせ、パン粉をつけて揚げる
☞油の温度は、パン粉をほんの少し入れて確かめよう。泡が出て、パン粉がパッと散ったら適温
④キツネ色になったら完成。ソースはお好みで

ここでは彩り重視でいろいろな素材を組み合わせてみたが、組み合わせはお好みで。ポイントは食材を食べやすい大きさにすること。もちろん単品で揚げるのでもよく、定番の肉類以外に、バナナを揚げてみるのもおもしろい。

33 // Vegetable //

25 min

豪快！ スペイン風オムレツ
トルティージャ

分厚い卵焼きの中にはホクホクのジャガイモがたっぷり。
オリーブオイルをたっぷり使った、
スペインを代表する家庭料理をバーベキューで。

●材料
ベーコン　80g
ジャガイモ　3個
玉ネギ　1/2個
ニンニク　1かけ
卵　5個
塩・コショウ　適量
オリーブオイル　大さじ4

●作り方
【準備】
①ベーコンは1cm幅に切り、ジャガイモは厚さ5㎜のいちょう切り、玉ネギとニンニクはスライスしておく

【調理】
②フライパンにオリーブオイル大さじ3を熱し、ベーコンを炒める。ベーコンから油が出てきたら、ジャガイモ、玉ネギ、ニンニクを加えて、野菜に火が通るまで炒める
☞じっくり中まで火を通すので、できるだけ弱火で
③ボウルに卵を入れて溶き、そこへ②を入れる
④フライパンに残りのオリーブオイルを熱し、③を注ぎ込む。
⑤縁がかたまってきたら引っくり返す。これを4回程度繰り返す（最後にパセリ粉を散らすと彩り豊かに）
☞できるだけフタをして焼く。なお、最初のひっくり返すタイミングは縁が固まってきたら（中は半熟状態）。平らなフタやお皿をフライパンにかぶせて裏返す

34 // Vegetable //  20 min

バーベキューならではの贅沢サラダ！

炭火焼きサラダ

白ワインを
スプレーすると
しっとり焼ける！

炭火で焼いたベーコンと
野菜の旨みが絶妙に混ざり合うサラダ。
仕上げはオリーブオイルとレモン汁で。

●材料

ベーコン　6枚
トウモロコシ　1本
ズッキーニ　1本
ミョウガ　2本
アスパラガス　4本
エリンギ　4本
オクラ　8本
ナス　1本
パプリカ　1個
モロッコインゲン　8本
ミニトマト　12個
白ワイン　適量
レモン汁　少々
塩・コショウ　適量
オリーブオイル　大さじ2

●作り方

【準備】

①トウモロコシは2cm、ズッキーニは1cmの輪切りにしておく。ミョウガは縦に半分に切っておく。アスパラガスはハカマと根元の皮を削ぎ、エリンギは食べやすい大きさに割いておく

②ベーコンは2cm幅に切っておく

【調理】

③①の野菜と、オクラ、ナス、パプリカ、モロッコインゲン、ミニトマトをそのまま網の上に並べて焼き、ときどき白ワインをスプレーして塩を振る

☞白ワインをスプレーすることで、風味が付き、格段にジューシーに仕上がる

④ベーコンはサッとあぶる。ナスは中までやわらかくなったら皮をむき、パプリカは表面に焦げ目がついたらヘタをとり、食べやすい大きさに切る

⑤器に焼き上がった材料を合わせ、塩・コショウで味を調える。オリーブオイルとレモン汁を加えてよく混ぜ合わせる

35 // バラエティレシピ //

火おこしの間におもてなし

焼ける前の一品

火を通す料理ができあがるまでの間に、生野菜やチーズなどを使った料理をサッと出すと、ゲストは大喜び。食べやすい大きさに切って、串に刺すだけで一品（ピンチョス）できあがり。ディップなども用意すると、みんなのテンションが一気にアップする。

ディップ

ディップを自宅で作って持って行けば、現地ですぐに一品楽しめる。スティック状の生野菜につけたり、クラッカーにのせて召し上がれ。

アボカド

●材料

アボカド　1個
レモン汁　小さじ1
マヨネーズ　大さじ2
玉ネギ（すりおろし）
　小さじ1
塩・コショウ　少々
オリーブオイル　大さじ1

カレーらっきょうマヨ

●材料

ラッキョウ　大さじ4
マヨネーズ　大さじ5
カレー粉　小さじ1

にんにくみそマヨ

●材料

マヨネーズ　大さじ5
みそ　大さじ1
すりおろしニンニク　適量
カイエンペッパー　少々

ツナ豆腐

●材料

木綿豆腐　100g
ツナ（缶詰）　1/2缶
レモン汁　大さじ1
牛乳　大さじ1
塩・コショウ　少々
オリーブオイル　大さじ1

ソルベ風ガスパチョ

●材料
きゅうり　1/2本
紫玉ネギ　1/4個
パセリ　一枝
トマトジュース　約1ℓ
鶏がらスープの素
（コンソメでも可）　大さじ2
塩・コショウ　少々
砂糖　大さじ1

食べる前によく振ってシャリシャリの状態にする

●作り方
【準備】
①きゅうり、紫玉ネギ、パセリを細かくみじん切りにする
②トマトジュースのボトル（少し減らしておくとよい）に鶏がらスープ、塩、コショウ、砂糖の順で加えて、よく振って混ぜ合わせる
③②を自宅等で凍らせておく。調理時に半分くらいが凍った状態がベスト

【調理】
④食べる直前にボトルの上部をハサミなどで切り、スプーンを使ってカップに取りわける。シャーベット状のものと液体が半々ぐらいの割合がちょうどよい
⑤④に刻んだ野菜を盛りつける

オリーブのマリネ
オリーブ、玉ネギとレモンの皮のみじん切り（レモン汁でもOK）をオリーブオイルであえる

生ハムとクリームチーズのピンチョス
彩りとしてパセリを添えるとよい

カプレーゼ風ピンチョス
ミニトマト、モッツァレラチーズ、バジルをオリーブオイルと塩・コショウで味つけ

ピンチョス&マリネ

まだまだある！　おすすめバーベキューレシピ

アウトドアだって工夫次第でなんでも作れる!?
BBQ芸人のアイデアがキラリと光るイチオシの3品を紹介する。

鉄板を斜めにして、溜まった油で揚げる

サムギョプサル

●材料

豚バラ肉（400ｇ）、ニンニク（４かけ）、キムチ（適量）、サンチュ（適量）、サムジャン（適量／なければコチジャンでもよい）

<一緒に焼く野菜>

玉ネギ、サツマイモ、エリンギなど（すべて適量）

<タレ>

ゴマ油（適量）、塩（適量）

●作り方

①小石などで鉄板を斜めにして、バラ肉と切った野菜を焼く
②鉄板に溜まった油でキムチ、ニンニクを揚げる
③①と②、サムジャンをサンチュで巻いてタレにつけて食べる

牛乳をたっぷり使って、まろやかに仕上げる

洋風ミルク豚汁

●材料

豚バラ肉（400ｇ）、サツマイモ（1本）、ダイコン（1/4本）、玉ネギ（1個）、ニンジン（2本）、ハクサイ（1/4個）、ヤマイモ（1/2本）、みそ（大さじ6）、コンソメの素（5個）、牛乳（1ℓ）、水（適量）

●作り方

①野菜をカットして、ダッチオーブンに水、コンソメ、豚バラ肉、野菜（ハクサイ以外）を入れて火にかける
②野菜が柔らかくなったら、ハクサイ、みそ、牛乳を入れる。沸騰したら完成

お茶で茹でることで、匂いと余分な脂を落とす

ヘルシー茶ーシュー

●材料

豚バラ肉（ブロック1本／600ｇ前後）、緑茶（５パック）、水（適量）

<タレ>

おろしニンニク（小さじ2）、しょう油（200㎖）、みりん（200㎖）、みそ（100ｇ）、砂糖（大さじ2）

●作り方

①ダッチオーブンに豚バラ肉、水（肉がひたるくらい）と緑茶を入れて火にかける
②豚バラ肉に火が通ったら、タレに30分ほど漬け込み、スライスする
③オイルをひいて熱したダッチオーブンで②をさっと焼き、タレを回しかける

ガッツリ食べたい人にはこれ

バーベ 5 ご飯&麺類

Rice & Noodles

肉や魚の料理を食べると
どうしても欲しくなるのがご飯や麺。
焼きおにぎりは料理をおかずにして
食べられるのでおすすめ。

36 // Rice & Noodles // 60 min

豪快だけどやさしい味

丸鶏の中華粥

じっくり煮込んだ丸鶏はホロリとほどける柔らかさ。
鶏のダシをたっぷり吸い込んだ、
やさしい味わいはキャンプの朝にもおすすめ。

開けるのが
楽しみ！

●材料

丸鶏（中抜き）　1羽
米※　1カップ
水※　10カップ
塩　少々
ミツバ　適量
ザーサイ　適量
ごま油　適量

※ 米と水の割合は1：10

●作り方

①丸鶏を水洗いする
②米を研ぐ
③②と水をダッチオーブンに入れて真ん中に①を置き（A）、60分ほど火にかける
☞ダッチオーブンのフタにも炭をのせる。米粒がはじけてきたら食べごろ
④軽く塩を振って器に盛り、ミツバとザーサイを添えたらごま油をかける
☞トングなどで身をほぐしてから取りわける（B）（C）

37 // バラエティレシピ //

周りに広がる香ばしさ

焼きおにぎり

小腹がすいたときに嬉しいのが焼きおにぎり。
肉料理にはご飯が欠かせないという
男性陣にもおすすめで、
お酒のあとの〆としてもちょうどよい。
しょうゆやみそをベースに、ガーリック、チーズ、
マヨネーズなどで一味効かせるのが野外流。

あらかじめ握っておけば、あとは焼くだけ。自宅で握っていってもよいし、キャンプなら前日に残ったご飯で握ると無駄がない。崩れないように、おにぎりは硬めに握ろう。弱火（少なめの炭）でじっくり焼き上げると、外はパリッ、中はふっくらのホクホク焼きおにぎりの完成だ。

ハーブ＆ガーリック

●材料
ご飯　茶碗1杯分
バジル　適量
オレガノ　適量
ニンニク（みじん切り）　適量
塩　少々
しょう油　小さじ1

●作り方
【準備】
①ご飯、バジル、オレガノ、ニンニク、塩をよく混ぜて握っておく

【調理】
②網の上で焼き、最後にしょう油を塗る

オイスターマヨネーズ

●材料
ご飯　茶碗1杯分
オイスターソース　小さじ1
マヨネーズ　小さじ2

●作り方
【準備】
①ご飯、オイスターソースとマヨネーズをよく混ぜて握っておく

【調理】
②網の上で焼く

チーズ入り

●材料
ご飯　茶碗1杯分
とろけるチーズ　適量
しょう油　少々
みりん　少々
七味唐辛子　少々

●作り方
【準備】
①ご飯にチーズを入れて握っておく

【調理】
②網にのせ、しょう油、みりん、七味唐辛子を混ぜたタレをぬりながら焼く

みそ

●材料
ご飯　茶碗1杯分
みそ　大さじ1

●作り方
【準備】
①ご飯を握っておく

【調理】
②網のにのせ、表面を少し焼いてからみそを塗り、また焼く

おにぎりを割ると
チーズがとろ〜り！

爽やかな朝にうれしいできたての一品

朝バーベのススメ

キャンプでバーベキューをするなら、
楽しんでほしいのが朝バーベ。
澄んだ朝の空気のなかで食べると
本当においしい。
熱いコーヒーと一緒にどうぞ。

ゆったりとした時間の流れを感じることができるキャンプでの朝。こういうときは簡単に料理を作りたい。そこで、おすすめなのが前日のあまった料理や食材を活用すること。例えば上の写真のようにキャベツ大爆発(P.82)の余りものをパンにのせて焼くと、アッという間においしいトーストができあがる。

おすすめ朝バーベレシピ

**トースト、ホットドッグなどのお馴染みメニューが並ぶが、焼きたてはやっぱりうまい。
朝からしっかり食べたいという人には、オリジナルレシピのカレーがおすすめだ。**

◎トースト
Toast

朝バーベの定番といえばこれ。焼く際にフタをかぶせると、上の具材もカリッと焼ける。

「チーズトースト」

パンにおろしニンニクを塗り、チーズ（モッツァレラチーズやとろけるチーズ）をのせる。最後にパセリ粉を散らすと見た目もよい。

「ピリ辛トースト」

パンに塗るのはマヨネーズメインのソース。マヨネーズのコクに隠されたピリ辛感が絶妙。

<ソースの分量>

マヨネーズ（大さじ4）、チリペッパー（小さじ1）、おろしニンニク（小さじ1/2）

◎ブリトー
Burrito

ブリトーとはハムやチーズを小麦粉で作った生地で巻いたもの。生地はモチモチで香ばしい。

●材料（4人分）

薄力粉（1カップ）、水（200mℓ）、塩（小さじ1/2）、ハム（適量）、チーズ（適量）

●作り方

①薄力粉、水、塩を混ぜて生地を作る（生地はできれば30分ほどねかせる）
②熱したフライパン（鉄板でもOK）にサラダ油を薄くひき、生地を1/4ほど流し込んで薄く延ばす
③中火で裏側に軽く焼き目がついたらひっくり返し、ハムとチーズをのせる
④具を包むように折りたたみ、なかのチーズが溶けるぐらいまで焼いたら完成

◎ホットドッグ
Hot Dog

焼きたてがうまい朝バーベの代表選手。牛乳パックを使うことで簡単に焼ける。

●材料（4人分）

ホットドッグ用のパン（4本）、キャベツ（半分）、長めのソーセージ（4本）、ケチャップ・マスタード（適量）

●作り方

①キャベツを千切りにし（ゆでるとキャベツの甘みが増す）
②パンに①とソーセージを挟み、二重にしたアルミホイルで包む
③②を牛乳パックのなかに入れる（このとき燃えやすいように端を破って導火線代わりにする）
④③に火をつけ、燃えつきたら焼きあがり。お好みでケチャップやマスタードを

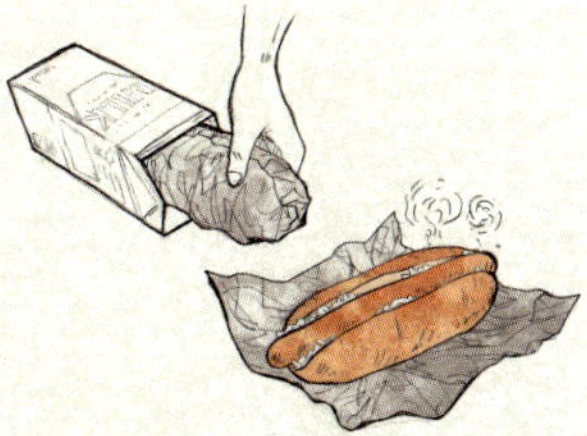

◎カレー
Curry

朝からしっかり食べたい場合やブランチなら朝カレーを。たけだ流オリジナルレシピは本当に簡単にできる。

●材料／4人分

合ひき肉（300ｇ）、各野菜（お好みで）／適量、野菜ジュース（600mℓ）、カレーパウダー（大さじ3）、コンソメの素（２個）、バター（40ｇ）

●作り方

①野菜は食べやすい大きさに切り、網で焼く
②鍋にバターを熱してひき肉を炒め、肉の色が変わったら、野菜ジュースを入れて煮る
③②が煮立ったら、カレーパウダーとコンソメを入れる
④①を皿に並べて、③をかけたら完成

Let's BBQ パーティ！

ミックスパエリア

本場スペインでは男性が
女性のために作る、まさに男の料理。
たっぷりの魚介と手羽元を一緒に炊き上げる。
湧き出るエキスが染み渡った米は格別のうまさ。

●材料

有頭エビ　8尾
アサリ※　150g
イカ　1杯
玉ネギ　1/2個
ピーマン　1個
パプリカ（赤・黄）
　それぞれ1/2個
トマト　1個
水　600mℓ
ウコン
　ひとつまみ
手羽元　4本
米　2合
コンソメの素　1個
塩・コショウ　適量
すりおろしニンニク
　小さじ1
オリーブオイル
　大さじ2

※ 砂抜きされたアサリを買えば、調理前の下処理が楽

●作り方

【準備】

①エビは殻をつけたまま背わたを取り、砂抜きしていないアサリは塩水（分量外）につけ、アサリ同士をこすり合わせながら洗っておく

☞エビの背中の真ん中につまようじを軽く刺せば、ワタをスルッと取れる

②イカは胴から足とワタと軟骨を抜き、目の下に包丁を入れてワタと足を切り離す。胴は輪切り、足は目と口、墨袋、吸盤を取って食べやすい長さに切っておく

③玉ネギはみじん切り、ピーマンとパプリカは縦に細切り、トマトは皮をむいて細かく切っておく

【調理】

④容器に水とウコンを入れて溶かして混ぜておく

⑤エビ、イカ、手羽元に塩・コショウを振る

⑥フライパンにオリーブオイル、ニンニクを入れ、香りがたってきたら、③と⑤を入れる（A）

☞平らで底が広いパエリアパンがあると火が均一に通りやすい

⑦エビ、ピーマン、パプリカはいったん取り出し、そこに米とトマトを入れて全体に混ぜる

☞取りだすタイミングはエビに火が通ったら。

⑧⑦に④とコンソメを加える。沸騰したらアサリを加え（B）、アルミホイルでフタをする（C）

⑨15〜20分経ったらフタを開けてエビ、ピーマン、パプリカを戻し、フタをして3分ほど温める

⑩彩り鮮やかに盛りつける。レモンを添えて、パセリをかけるとよい

39 // Rice & Noodles // 30 min

生地からつくってこんなに簡単！

ピザ・マルゲリータ

ピザ生地にベーキングパウダーを使うことで、
発酵いらずの簡単クリスピーピザが作れる。
生地作りはぜひメンバーと一緒に。
みんなで味わう達成感は最高のスパイスだ。

●材料

サラミ　4枚
玉ネギ　1/4個
ピーマン　1個
ピザソース　大さじ3
とろけるチーズ　80g
バジル葉　適量

<生地>
水　150㎖
薄力粉　250g
ベーキングパウダー　小さじ1
塩　少々
オリーブオイル　大さじ2

●作り方

【準備】

①玉ネギ、ピーマン、サラミはスライスしておく

【調理】

②生地の材料を混ぜ合わせる。生地がまとまり、表面がなめらかになったら（混ぜる途中で粉が少ないようなら随時足していく）、15分ほどねかせる
③生地を適度な大きさにわけ、薄く丸く延ばす
④③にピザソース、①の具材、チーズをのせる
⑤熱したダッチオーブンに足つきの網を置き、その上にアルミホイルを敷いてピザをのせる。ダッチオーブンのフタの上にも炭を置き、10分ほど焼く
☞生地に水分が染み込まないように、ピザ生地に具材をのせたらすぐ火にかける
⑥焼き上がったらバジルをのせて完成

40 // Rice & Noodles // 10 min

ピリッと豆板醤が隠し味

餃子の皮のピザ

パリッと焼いた餃子の皮をピザ生地に見立てたアイデア料理。
サクサクとした食感とほどよい辛さがクセになる。
簡単に作れて焼き上がりも早いので、
メイン料理が焼ける前にどうぞ。

●材料

ウインナーソーセージ　6本
餃子の皮　12枚
グリーンピース　適量
とろけるチーズ　60g

<豆板醤ペースト>
豆板醤　小さじ2
砂糖　小さじ1
しょう油　小さじ1
ごま油　小さじ1

●作り方

【準備】

①ウインナーソーセージは斜め薄切りにしておく
②豆板醤ペーストの材料を混ぜ合わせ、豆板醤ペーストを作っておく

【調理】

③皮にペーストを薄くぬり、①とグリーンピース、チーズを散らす
☞ペーストを塗る量で辛さを調節できる
④網の上に③を並べて焼く 。チーズがとろけてきたら完成
☞アルミホイルなどでフタをすると早く焼き上がる

シンプルなバーベキューだからこそ
調味料のススメ

ここでは監修者おすすめの調味料を紹介。
なかでも肉との相性が抜群の
すりおろしニンニクや、
食材の風味を増してくれる白ワインは
ぜひ使ってほしい。

パウダー系

なかでも重宝するのが、肉料理に欠かせない黒コショウ。
パウダー系は彩りを豊かにする働きもある。

岩塩

食卓塩よりも粒の大きい岩塩が、バーベキューにはよく合う。とくに丸ごと焼き(P.84)の焼きしいたけでは、粒が大きいと焼けたときのキラキラがわかりやすい。

黒コショウ

ペッパーミルを使って高い位置から振りかけるのがスタイリッシュ。バーベキューではとてもよく使うので、ホール(粒)で買ってペッパーミル(P.26)でひくのがおすすめ。

パプリカパウダー

辛みのないトウガラシの品種「パプリカ」を粉末状にしたもの。食欲をそそる赤い色味つけに必須。サラダやピザ、パエリアなどの仕上げにもおすすめ。

ガーリックシーズニング

ニンニクに加えてチーズも含まれている。振りかけるだけでガーリックトーストやガーリックステーキができる。

ケイジャンシーズニング

ジャンバラヤに使うことで有名な、肉にも魚にも合うオールマイティなスパイス。カイエンペッパーの辛みとハーブ系の香りがある。

シナモンシュガー

シナモンの粉末と砂糖を混ぜ合わせたもの。焼きリンゴ(P.117)や焼きバナナなど、フルーツにはもってこい。

パセリ

爽やかな香りのハーブパウダー。緑の彩りとして使われることが多く、とくにトルティージャなどのスペイン系の料理との相性がよい。

バジル

ハーブパウダーのひとつで、甘い香りと微かな辛味がある。食欲をそそる緑の色味は、とくにイタリア料理には欠かせない。

その他のハーブ類

パセリやバジル以外にも、香りが強めのオレガノやローズマリーなどを好みに応じて使ってもよい。

カイエンペッパー

赤く熟したトウガラシの実を乾燥させた香辛料。ピリッと辛みを加えたいときに。

カレーパウダー

日本人が大好きなカレー。軽く振りかけるだけで、カレー風味料理のできあがり。

クレイジーソルト

ハーブを使用した岩塩ベースのスパイス。夢中になるほどの旨さと讃えられる。

ソース・タレ系

下で紹介している2つのソースは定番中の定番。
どちらもバーベキューには甘口がよく合う。

ソース

各メーカーからさまざまなタイプが市販されているが、おすすめはヨシダバーベキューソース。

焼き肉のタレ

肉料理だけではなく、焼きそばやパスタなどにも使える。おすすめはジャン。

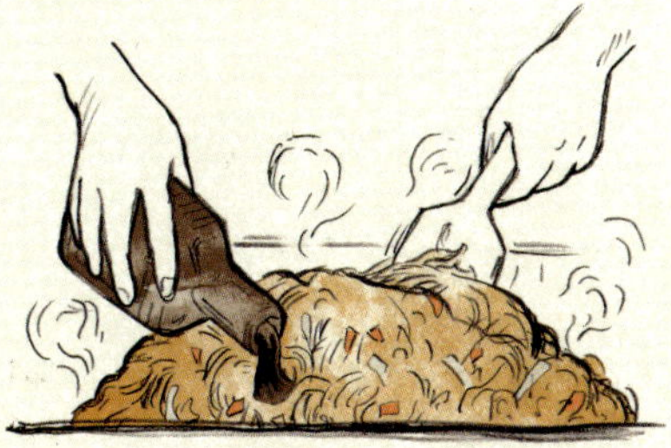

ペースト系

ペースト系は分量をはかりやすく、
扱いやすいのも特徴。とくにニンニクは必携品。

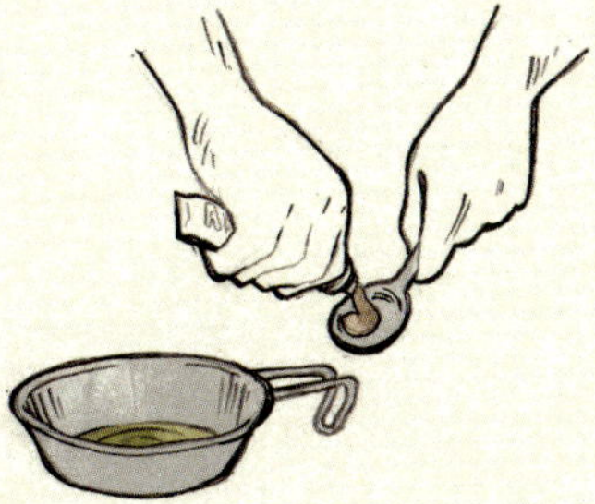

おろしニンニク

あれば必ず役に立つ、バーベキュー界のマルチタレント。とくに肉料理には欠かせない。

アンチョビペースト

魚はもちろん、肉との相性もよい。バーニャカウダー(P.86)であまったソースは、パスタに絡めるとうまい。

その他

仕上げにサッとかけて風味付け。
これでうまさがもう一段階アップする。

オリーブオイル

バーベキューに欠かせないイチオシ調味料。焼きものはもちろん、サラダやパスタなどの風味付けとしても使える。

白ワイン

食材をフルーティに香りづけし、ほどよい酸味で味の深みを増してれくる。ちなみに監修者はスプレーボトルに入れて使用。吹きかけると料理のテカリを演出でき、しっとりと仕上がる。

調味料のパッケージング

とくにパウダー系の調味料は、少しの量で十分なことが多い。そこで、小さな容器に入れて、まとめてパッケージングすると、持ち運びがグッと楽になるうえ、料理の準備をするときに「あれ、あの調味料はどこに…」ということもなくなる。

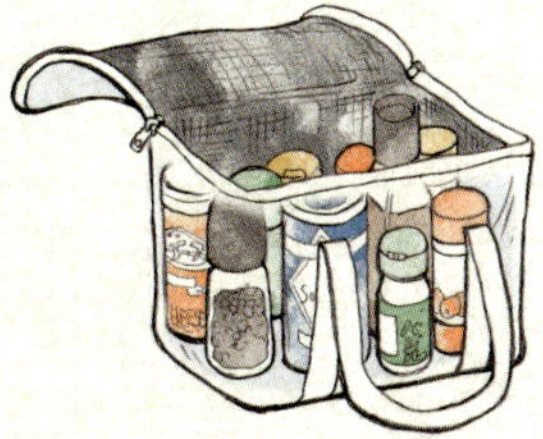

調味料はパッケージングすると使いやすい

41 // Rice & Noodles // 15 min

ゴロゴロ野菜の豪快パスタ

夏野菜のスープパスタ

パスタをゆでた鍋にザックリ切った野菜を入れる、鍋ひとつで作れるお手軽レシピ。ニンニクが香ばしく、トマトの酸味がさわやか。あまったスープは雑炊にしてもうまい。

●材料

フジッリ　200g
ベーコン　4枚
ナス　2本
ズッキーニ　1本
トマト　4個
オクラ4本
ニンニク　2かけ
水　1ℓ
塩・コショウ　適量
オリーブオイル　大さじ1

●作り方

【準備】

①ベーコンは1cmくらいの厚めの短冊切りにしておく。ナス、ズッキーニは輪切り、トマトは食べやすい大きさ、オクラは縦に半分に切り、ニンニクはスライスしておく

【調理】

②鍋にオリーブオイルを熱し、ベーコン、ナス、ニンニクを入れて炒め、塩を振り、軽く焦げめがついたらナスを取り出す

③鍋に水を沸かし、薄い塩味になるように塩(分量外)を入れ、フジッリ、ズッキーニをゆでる

④フジッリがゆで上がったら取り出したナス、トマトを入れる。塩・コショウで味を調え、オクラを飾る

☞お好みでオリーブオイルを絡めたり、粉チーズを振ってもよい

42 // Rice & Noodles // 15 min

見ためも鮮やかなピリ辛パスタ

ペンネ・アラビアータ

鮮やかな赤が食欲をそそり、
ピリッとした辛みがビールによく合う。
ショートパスタは時間が経っても伸びないので、アウトドアには最適。

●材料

ペンネ　300ｇ
玉ネギ　1個
ベーコン　8枚
鷹の爪　4本
トマト水煮缶　2缶
ニンニク　2かけ
塩　少々
オリーブオイル
大さじ4

●作り方

【準備】

①玉ネギは1cm程の角切り、ベーコンは1cm程度に切っておく。鷹の爪は半分に切って、種を取っておく

【調理】

②ペンネをゆでる

☞少量のオリーブオイルを絡めておくとゆで置きも可能

③フライパンにオリーブオイル、ニンニク、ベーコンを入れて、火にかける。

④ニンニクに焼き色がついてきたら鷹の爪を入れる

⑤④にホールトマトを入れて水分を飛ばすように煮詰める

⑥3～4分煮詰め、全体にとろみが出てきたら、味をみる。お好みの量の塩を加えて味を調える

⑦ペンネに⑥をかける

☞バジルをかけたり、鷹の爪をのせると見ためがよい

43 // Rice & Noodles // 15 min

焼き肉のたれ×バターが最高！

俺流！ 激うま焼きそば

定番メニューの焼きそばが
格段にうまくなるオリジナルレシピ。
甘口の焼き肉のタレで風味を効かせ、
バターで濃厚なコクを出す。

●材料

牛モツ（焼き肉用） 200g
玉ネギ 1/2個
ニンジン 1/3本
キャベツ 5枚
焼きそば 4玉
塩・コショウ 少々
焼肉のタレ(甘口) 大さじ4
バター 40g
オリーブオイル 少々

●作り方

【準備】

①玉ネギは薄切り、ニンジンは細切り、キャベツはザク切りにしておく

【調理】

②鉄板にオリーブオイルを熱し、牛モツを入れて炒める。牛モツに焼き色がついたら①を加えてさらに炒める

③②に塩・コショウをして、下味をつける

④焼きそばを入れ、少量の水（分量外）を加えて麺をほぐす

⑤④に焼肉のタレを入れて混ぜ合わせ、最後にバターを入れて全体に絡ませたら完成

アツアツで食べるのがおいしい

バーベ6 スイーツ Sweets

バーベキューのデザートは
手軽ながらかなりの本格派。
できたてをハフハフと食べるのが醍醐味だ。
女性や子どもに大人気なので、ぜひお試しを。

44 // Sweets // 60 min

クセになるもちもちの食感

カスタード・ライスプリン

ご飯と牛乳で作る新感覚スイーツ。
意外な組み合わせのようだが、
イギリスでは昔からある家庭料理。
レーズンの甘酸っぱさもよいアクセント。

もちもちで
おいしい！

●材料

卵　2個
ご飯（炊いたもの）　茶碗1杯分
牛乳　300㎖
砂糖　50ｇ
バニラエッセンス　大さじ1
レーズン　40ｇ
シナモン　適量

●作り方

①ボウルに卵をよく溶き（A）、ご飯、牛乳、砂糖、バニラエッセンスを入れて、よく混ぜ合わせる（B）
②①を耐熱容器に流し入れ、そこにレーズンとシナモンを加える
③②を熱したダッチオーブンに入れ（C）、30～40分焼いたら完成
☞フタの上にも炭をのせる（炭の量は下が1に対してフタの上は2）

45 // Sweets // 20 min

かわいい見た目が女性にも大人気!

フルーツグラタン

ダッチオーブンで焼き上げるスイーツグラタン。
プルプルの生地の甘みとフルーツの酸味は絶妙な組み合わせ。
彩鮮やかにフルーツを並べよう。

●材料

イチゴ　6個
キウイ　2個
バナナ　1本
ミカン(缶詰)　1缶
卵　3個
砂糖　大さじ5
牛乳　350mℓ
バニラエッセンス　少々

●作り方

【準備】

①イチゴはヘタを取って半分に、キウイは皮をむいて縦半分に切って1cm幅に、バナナはスライスし、ミカンはザルにあけておく

【調理】

②ボウルに卵と砂糖を入れて泡立て器でほぐして混ぜる。そこに牛乳を少しずつ加えながらよく混ぜ合わせ、バニラエッセンスを加える
③耐熱容器に①を並べ、②を注ぐ。ダッチオーブンに入れて15～20分、表面に焦げめがつき、卵液が固まるまで焼く

☞ダッチオーブンのフタにも炭を置く

46 // Sweets //

ラム酒を効かせた上品な味わい

焼きリンゴ

焼きリンゴはバーベキューデザートの王道。
包んだアルミホイルを開けるとラム酒の甘い香りが立ちのぼる。
ちょっと大人の味になったリンゴを心ゆくまで楽しもう。

●材料

リンゴ　4個
レーズン　60g
ラム酒　40㎖
シナモンパウダー
　大さじ1
砂糖　40g

●作り方

①ナイフでリンゴの芯をくり抜いておく
②①にレーズン、ラム酒、シナモンパウダー、砂糖を入れる
③アルミホイルで1個ずつ包んで、ダッチオーブンに入れて20～30分ほど焼く
☞ダッチオーブンのフタにも炭を置く

47 // Sweets // 20 min

中からあふれるチョコに感動！

とろけるチョコケーキ

野外でフォンダンショコラ風のチョコケーキが楽しめる。
焼き加減は、中からとろりとチョコがあふれ出すぐらいに調整を。
バーベキューのスイーツはアツアツのうちに食べよう。

●材料

チョコレート※　100g
バター　100g
グラニュー糖　60g
卵　2個
アーモンドパウダー　60g

※ チョコは小さく切ってあるものやチップがおすすめ

●作り方

【準備】

①チョコレートが板状の場合は、細かく刻んでおく

【調理】

②鍋にバターを入れて溶かし、グラニュー糖を加えて混ぜ合わせ、火からおろす

③ボウルに卵を入れて溶き、②に3回にわけて入れる

☞卵は入れるたびに混ぜ合わせる

④③にチョコレートを入れて溶けるまで混ぜる。さらにアーモンドパウダーを加えて混ぜ合わせる

⑤容器の内側にバター（分量外）をぬり、④を入れる

⑥熱したダッチオーブンで、6～8分ほど焼く

☞ダッチオーブンのフタにも炭を置く。焼き時間が短いほど中身はトロトロになるが、崩れやすい

48 // Sweets // 50 min

カボチャをまるごとスイーツに

まるごとパンプキン

カボチャにたっぷりのハチミツを入れて丸ごと焼く、豪快スイーツ。
ホクホクとした果肉をハチミツと絡めながら食べてほしい。
プリンのような柔らかい口当たりに、思わず笑顔がこぼれる。

●材料

カボチャ　1個
ハチミツ　200㎖

●作り方

【準備】

①カボチャはヘタの部分を切ってわたと種をくり抜いておく。ヘタの部分はあとでフタとして使う

【調理】

②①にハチミツを入れてヘタの部分でフタをし、アルミホイルで全体を包む

☞ハチミツはくり抜いた部分の1/3くらい入れると、より甘みが増す

③グリルの炭のないところに置き、まわりに炭を並べて30～40分焼く

☞焼きむらができないように、ときどきカボチャを動かす

暗闇でゆらめく炎に乾杯

夜バーベのススメ

一通りの料理を食べたあとの
バーベキューの夜。満腹だけど
話し足りない。そんなときにうれしいのが
炎を囲んですごすひと時。酒の肴と
甘いものが笑顔にしてくれる。

キャンプ場で夜を迎えるなら、たき火をやらない手はない。揺れる炎を見ているだけで心がなごみ、不思議と会話も弾む。串にさしてマシュマロを焼いたり、焼きイモを作ったりと楽しみも多い

※たき火をしてもよい場所かどうかを事前に確認し、周りに人が多い場所では控えましょう。また、火の始末には細心の注意を

夜食とお酒

夜のキャンプ場で飲むお酒は、いつもより断然うまい。少し冷え込むようなら、温めて飲んでほしい。
肴には缶バーベ(P.74)やアヒージョ(P.78)、燻製(P.88)などがおすすめだ。

◎缶バーベ

そのままでもうまい缶詰を簡単アレンジでさらにおいしさアップ。ビールや日本酒にぜひ。

◎スルメやエイヒレ

酒のつまみといえば、やっぱりこれ。パチパチという音が酒好きを虜にする。

◎ホットワイン

肌寒い夜には温かいお酒を。赤ワインを湯煎で温めたら、シナモンスティックとご一緒に。

◎焼きマシュマロ

マシュマロを串に刺して軽くあぶると、ポワッと膨らむ。子どもも喜ぶ、お楽しみスイーツ。

◎焼きイモ

イモを濡れた新聞紙で包み、その上からアルミホイルで包み込むと、ホッコリと焼き上がる。

◎ホットマッコリ

女性にはまろやかな口当たりのマッコリが人気。練乳や黒蜜などを足してみるのも楽しい。

49 // Sweets // 10 min

落とさずに焼けるかな？

フルーツ串パンケーキ

手軽にできるフルーツケーキ。
串に刺したフルーツをホットケーキ生地でコーティング。
炭の上で回しながらあぶると、ぷっくりと膨らむ。
みんなでワイワイ楽しもう。

●材料

バナナ　3本
イチゴ　12個
ホットケーキミックス　200g
卵　1個
牛乳　150mℓ
メープルシロップ　適量
チョコレートシロップ　適量

シロップをたっぷりかけて召し上がれ！

●作り方

【準備】

①バナナは一口サイズに切っておく

【調理】

②ボールにホットケーキミックス、卵、牛乳を混ぜ合わせる

③金串にバナナまたはイチゴを刺し、②を全体につける

☞串から具材が抜けないように、強火でさっと焼いてしまうのがポイント。チーズフォンデュ用の先の割れた串なら安定感が増す

④③を炭の近くにもっていって焼く

☞網を取って焼くのがおすすめだが、安全にはくれぐれも注意を

⑤全体がきつね色になるまで焼き、お好みでメープルシロップやチョコレートシロップをかけて食べる

50 // Sweets // 15 min

マシュマロが甘くとろける

ベリーベリーマシュマロ

マシュマロとフルーツを
鉄板で焼くアツアツのスイーツ。
マシュマロが甘く焦げる香りで、
お腹がいっぱいでも
ペロリと食べられてしまう
クラッカーに乗せたり、
アイスにかけてもうまい。

●材料

パイナップル　100g
イチゴ　100g
ブルーベリー[※1]　100g
ラズベリー[※1]　100g
ブラックベリー[※1]　100g
マシュマロ[※2]　1袋
サンドイッチ用食パン　適量
アイスクリーム（バニラ）　適量
クラッカー　適量

※1 ベリー類は、冷凍のベリーミックスでもOK
※2 マシュマロはロッキーマウンテン社のバーベキュー用マシュマロがおすすめ

●作り方

【準備】

①パイナップルは一口サイズに、イチゴは縦に半分に切っておく

【調理】

②果物を鉄板の上にのせ、軽く焼く（A）（B）（C）
③②の上にマシュマロを数個バランスよく並べ（D）、フタをして焼く（E）
④マシュマロがとろけてきたら、軽く混ぜてできあがり。お好みでサンドイッチに挟んだり、アイスクリームにかけたり、クラッカーにのせて食べる（F）

A

D

B

E

C

F

おわりに

バーベ！ みなさん、いかかでしたか。次のバーベキューでやってみようと思えるレシピはあったでしょうか。掲載しているレシピは、僕が実際にバーベキューでよく振るまう、人気が高いものばかり。野外料理とはいえ、自宅で作れる料理もたくさんあるので、「うまくできるかなぁ」と心配な人は、一度自宅のキッチンで作ってから、本番のバーベキューにのぞんでもいいと思います。ダッチオーブンなどの道具に関しても、初めから高価なものを買う必要はありません。実際に僕も、ホームセンターで買った安価なダッチオーブンやグリルを使っていますが、十分おいしく焼けるし、愛着もわいてくるってもんです。

バーベキューで大事なことは「楽しむこと」です。野外での料理なので、細かいことは気にしなくても大丈夫。たとえ塩を振りすぎても、焦がしてしまっても、それを含めてバーベキューですから。この本を参考にしながら、とにかく1品でも作ってみてください。野外で作る過程もきっと楽しいはずだし、みんなが笑顔で「おいしい」なんていってくれたら最高じゃないですか。僕は家族や仲間、友人など、目の前の人が楽しんでいる顔を見るたびに、バーベキューって素晴らしいなと感じます。

この本を入り口に、一人でも多くの人にバーベキューの楽しさを味わってもらえればと思っています。そして、みなさんの大切な人を笑顔にするお役に立つことができれば、本当にうれしいです。

目指すは「バーベ＆ピース」

Let's バーベ！

たけだバーベキュー

Canada Beef

監修

たけだバーベキュー

よしもとクリエイティブ・エージェンシー所属。バーベキュー上級インストラクター、キャンプインストラクターの資格を持つアウトドア芸人。冬にはシカを狩り、さばいて料理するワイルドな一面も。好きな炭のレイアウトは、スプリット・ツーゾーン・ファイアー。
ブログ：http://takeda.citylife-new.com/

撮影
原田真理

イラスト
竹田嘉文
林憲昭

デザイン
山本陽、菅井佳奈
（エムティ クリエイティブ）

DTP
オノ・エーワン

スタイリング
安藤晃義（CURL Creative Studio）
小堀敦子（CURL Creative Studio）

編集
オメガ社

食材提供
バーベキューワンダーランド
http://bbq-wonderland.com/

写真提供・撮影協力
ロゴス　http://www.logos.ne.jp/

撮影協力
キャンピングガーデンモク

モデル
山添寛（相席スタート）
野絵（あげは）
関根えり・佐藤もえじゅ（お月様）

調理協力・モデル
藤田裕樹（バンビーノ）

調理協力
小堀恵子（FUN FUN KITCHEN）

特別協力
湯浅光世
（よしもとクリエイティブ・エージェンシー）

写真提供
増田翔大
種田典子

Weber（販売元：株式会社エイアンドエフ）
http://www.aandf.co.jp/
株式会社スノーピーク
http://www.snowpeak.co.jp/
セキスイエクステリア株式会社
http://www.sekisuiex-webshop.com/
SOTO（新富士バーナー株式会社）
http://www.shinfuji.co.jp/

豪快バーベキューレシピ

監修者　たけだバーベキュー
発行者　池田　豊
印刷所　凸版印刷株式会社
製本所　凸版印刷株式会社
発行所　株式会社池田書店
〒162-0851
東京都新宿区弁天町43番地
TEL 03-3267-6821（代）
振替 00120-9-60072

落丁・乱丁はおとりかえいたします。

ISBN978-4-262-16271-3

1705104